Kristin Bühler-Oppenheim

Zeichen, Marken, Zinken
Signs, Brands, Marks

Fotos/Photographs:
André Muelhaupt

Communication Arts Books
Hastings House, Publishers
New York N.Y. 10016

Layout and jacket: Arthur Niggli
English version: D. Q. Stephenson, Basle
Offset-films: Karl Nilitschka, Neue Photolitho AG, Zürich
Printed and bound by R. Weber AG Heiden
Printed in Switzerland
© Copyright 1971 by Arthur Niggli Ltd.,
CH - 9052 Niederteufen (Switzerland)
First published in the U.S.A., 1971

Das vorliegende Buch ist gewissermassen eine Reportage. Es berichtet über eine Ausstellung, die im Schweizerischen Museum für Volkskunde in Basel während einigen Monaten zu sehen war. Was in befruchtender Zeitnot vom ebenso verständnisvollen wie dynamischen Team der Museumsleute zusammengetragen und von dem nicht minder dynamischen Robert Hiltbrand graphisch gestaltet wurde, liegt hier photographiert — erweitert und neu durchdacht — vor.

Das Thema erwies sich dem Sinn nach als tiefer als ursprünglich angenommen. Gedacht war an eine Zusammenstellung von optischen Kommunikationsmöglichkeiten des Menschen, wobei die Schrift ausgeklammert bleiben sollte. Es ging um Symbole ausserhalb der Schrift, aber nicht im Sinne der längst behandelten «Vorstufen der Schrift».

Inzwischen zeigt es sich, dass es hier eigentlich um eine Philosophie der Bedeutungen geht, um eine Semantik. Um das Ineinander und Nebeneinander von Zeichen, ihre Vielschichtigkeit und ihre Wandlung. Letztlich um einen Strukturalismus.

Die Zeichen sollen für sich sprechen. Kommentiert wird nur, wo dies für das Verständnis der Gegenstände selbst oder zur Begründung ihres inneren Zusammenhangs mit dem Thema notwendig scheint. Es werden Ausschnitte gezeigt aus einer endlosen Vielfalt. Absichtlich werden die einzelnen Gruppen verschiedenartig angefasst. Ihre Facettennatur verlangt danach.

Die eigentliche Arbeit bleibt dem Betrachter überlassen.

K. B.-O.

In some ways the present book is a report. It is a report on an exhibition held in the Swiss Museum of Folklore in Basle for a number of months. Everything assembled under the stimulating pressure of time by a museum team as dynamic as it was helpful and designed by the no less dynamic Robert Hiltbrand has been photographed and reproduced here in an extended and revised form.

In the event the subject was found to delve deeper than was at first supposed. The original idea had been a compilation of the media of visual communication excluding writing. It was to be concerned with symbols outside writing systems but not with "prototypes of writing", which had been dealt with before.

Meanwhile it has been found that what is involved here is semantics or the philosophy of meaning the interrelations and correlations of signs, their many facets, and their changes of form, and finally their structuralism.

The signs are meant to speak for themselves. A commentary was added only where it seemed necessary for an understanding of the actual objects or for explaining their inner relationship with the theme. Excerpts are shown from an infinite variety. Each of the several groups has been approached in a different way. As their many-faceted nature required.

The actual work has been left for the reader to do.

K.B.-O.

Was ist der Grund unserer Faszination beim Anblick eines Zinkens über unserm Briefkasten, auf einer Hausmauer an der Strassenkreuzung zwischen Solsona und Manresa, oder beim Anhören von Juan Conitzer, der erzählt, dass die Fahrenden bei seiner alleinwohnenden bolivianischen Grossmutter auf die linke Torseite einen Stein legten, den er dann jeweilen, wenn er sie besuchte, auf die rechte Seite habe hinüberlegen müssen? Es ist das Erlebnis der Geschichtslosigkeit der Zeichen, der unverlierbaren Beziehung zu Erscheinungen der verschiedenartigsten Kulturen, unserer eigenen, unauslotbaren Tiefe. An der Kultur teilhaben heisst leben mit Zeichen. Kreuz, Viereck, Spirale am Briefkasten, Knoten im Taschentuch oder auf einer Schnur, auf die Spitze gestelltes Dreieck, Hakenkreuz, Spur im Gras, Rauchsäule im Wald, geballte Faust oder ausgestreckte Hand — wir leben als Menschen in einer Welt von Zeichen. Sie orientieren uns, sie teilen mit, sie erteilen Gebote, sie nehmen uns auf in den Kreis ihrer Bedeutungen oder schliessen uns aus. — Es geht um das Zuhausesein im Spannungsfeld vertrauter Zeichen, um das Verfremdetsein in einer Umgebung, deren Zeichen uns unverständlich sind, um Teil sein der und Teil haben an der Kultur oder Ausgeschlossensein aus der Vielzahl der Kreise, aus der sie besteht.

Zeichen sind die aufgezeichnete Sprache der Kultur. Aber während die eigentliche Schrift aus einem System von Zeichen besteht, die Ideen in fester Folge ausdrücken, werden die uns begegnenden Bilder oder Symbole nicht als Ideen mit verbindlichem Wortlaut begriffen, sondern durch einen weitgehend zeitlosen Vorgang geschaut und verstanden. Es entsteht in uns von der Bedeutung des Zeichens ein Wissen, das zwar sprachlich ausdrückbar ist, aber nicht ausgedrückt werden muss, weder gedanklich noch in Worten.

Zeichenverständnis ist angeboren. Der Säugling bringt ein beschränktes Zeichenverständnis mit zur Welt. Aus den gleichen Gründen, die die Jungen von Tilapia (eine Fischart) bei Gefahr sich um das Maul der Mutter scharen lässt, auch wenn sie den Feind zum ersten Mal erblicken, damit die Mutter sie aufschnappen kann, oder die

What is it that fascinates us when see a hawker's mark on our letterbox or on a house wall at the crossroads between Solsona and Manresa, or when we hear Juan Conitzer relating how itinerants passing by the house of his Bolivian grandmother, who lived alone, used to place a stone on the left side of the gate and that he, when he visited her, had to move it over to the right? It is because these things bring home to us that signs have no history, that they are part and parcel of the outward expression of the most varied cultures, and that they confront us with our own unplumbed depths. Belonging to a culture means living with signs. Cross, square, spiral on the letterbox, knots in handkerchiefs or a cord, inverted triangles, swastikas, tracks in the grass, smoke signals in the wood, clenched fist or raised arm — these signs and others like them are inseparable from the world in which we live. They guide us, they inform us, they tell us what to do, they include us in the circle of their initiates or they shut us out. Either we feel at home within a complex of familiar signs or we feel we have lost our bearings in an environment whose signs mean nothing to us; either we share in and feel we are part of a culture or we feel excluded from the multiplicity of signs which compose it.

Signs are the recorded language of a culture. But whereas actual writing consists of a system of signs which express ideas in a fixed sequence, signs and symbols come to us not as ideas for which there are fixed verbalized equivalents but rather as something we see and understand without having to spell it out. The meaning of the sign is transmitted to us as knowledge which can, of course, be put into words but doesn't have to be expressed either in thought or in language.

Our understanding of signs is inborn. The baby brings into the world with it a limited knowledge of signs. Just as the young of Tilapia (a kind of fish) crowd round their mother's mouth at the approach of danger so that she can snap them up, although it is their first encounter with the enemy, or nidifugous birds, the chicks of hens or ducks, take cover at their very first glimpse of the silhouette of a bird of

nestflüchtenden Vogelarten, Hühner- und Entenküken, schon beim allerersten Anblick einer Raubvogelsilhouette fliehen lässt, oder, um ein weiteres Beispiel aus der Tierwelt zu erwähnen, das kaum geborene Küken nach dem roten Farbfleck auf dem Schnabel der fütternden Heringsmöven (Larus argentatus) picken, lächelt der zweimonatige Säugling reflexhaft etwas Sich-zu-ihm-Neigendes an, unbesehen darum, ob es sich um einen Menschen oder um eine auf ihn zubewegte Attrappe mit zwei oder drei Augenpaaren handelt (Abb. 22—30). Ja, die Attrappe scheint die das Lächeln auslösenden Voraussetzungen sicherer zu schaffen als ein menschliches Gesicht: In den allerersten Monaten erfolgt auf sie das Lächeln zuverlässiger.

Das Neugeborene bindet durch sein Lächeln die Pflegeperson, wer immer sie auch sei, an sich, um seine Ueberlebenschancen zu vergrössern, das Tier reagiert reflexhaft auf Bedrohung in der gleichen «Absicht». Zunehmende Reife erlaubt dann dem Säugling zunehmend präziseres Erfassen der Zeichen. Er lernt hinzu.

Der Lernvorgang des Kindes und des Erwachsenen besteht weitgehend im differenzierten Erfassen der Zeichensymbolik. Wer mit ihnen in Berührung kommt, den prägen die Träger der Gesellschaft — und Träger ist jeder — auf die Bedeutung der für sie wirksamen Zeichen. Kultur haben heisst: Wissen um den Sinn ihrer Zeichen. Wobei darum «prägen» gesagt wird, weil es sich bei diesem Prozess von beiden Seiten um einen nur zum Teil bewussten Vorgang handelt. Wesentliches nimmt der Mensch unbewusst auf: Die Mehrzahl der Gebärden, Ausdruck von Bejahung und Verneinung, Begrüssungsweise, Abschied, zahlreiche Willkürbewegungen, aber auch solche Zeichen, die auf bestimmte Ordnungen hinweisen: Umgekehrter Milchbehälter in bäuerlicher Gegend als Zeichen der abgeschlossenen Arbeit im Stall, gekehrter Vorplatz vor der Scheune als Anzeichen des Abends vor dem Feiertag auf dem Land, zunehmende Dichte der Autoschlangen, Anblick gemeinsam einkaufender Familien, Anhäufung bestimmter Lebensmittel in den Auslagen auf dasselbe Phänomen in der Stadt.

Das Einwachsen, das Einleben in eine bestimmte Kultur besteht in dem Erfassen bestehender Ordnungen. Ordnungen aber sind Zeichensysteme. Je tiefer wir eindringen in sie, desto beheimateter sind wir in ihr. Das Erleben der Fremdheit, das Unbehagen der Verlorenheit besteht nicht allein im Mangel am mitmenschlichen Kontakt. Fremdsein heisst ebenso: Die Sprache der Zeichen nicht kennen, ihre Symbole nicht oder nicht mehr verstehen.

Es ist mit eines der Aergernisse des Alterns, dass bewährte Zeichen

prey, or scarcely born chicks peck at the red spot on the beak of the herring gull (Larus argentatus) which is feeding them, so the 2-month-old baby smiles by reflex at anything inclining towards it, irrespective wheter it is a human being or a dummy with two or three pairs of eyes (Fig. 22—30). Indeed, the dummy seems to be more successful in eliciting a smile than a human face, at least during the very earliest months.

The newborn infant binds itself to the person nursing it, whoever it may be, by its smile so as to increase its chances of survival, and the animal reacts reflexively to a threat with the same "intention". As it grows older, the child becomes capable of make finer distinctions between signs. It begins to learn.

The learning process in the child and the adult consists primarily in a more discriminating apprehension of sign symbolism. The upholders of society — and we are all its upholders — impress upon those who come into contact with it the meaning of the signs operative in it. To be civilized means knowing about the signs of that civilization. We said "impress" advisedly because the process involved is for both sides a partly unconscious one. Things that are important are unconsciously absorbed by man: the majority of gestures, expressions of affirmation and denial, forms of greeting and farewell, and numerous voluntary movements. We also assimilate whithout being aware of it signs which indicate certain systems of order: an inverted milk churn in rural districts to show the day's work is done, and the yard before the barn swept clean to mark the eve of a holiday in the country, just as, in the town, the increasing density of traffic, the sight of families on joint shopping expeditions, and the accumulation of certain foodstuffs in the shop windows point to the same phenomenon.

Becoming a member of a particular culture through daily habit means laying hold mentally of existing systems of order. But systems of order ar systems of signs. The experience of strangeness, the uneasy feeling of being lost, is not due solely to lack of human contact. It comes just as much from not knowing the signs, not knowing the symbols, or not knowing them any more.

It is one of the vexations of old age that time-proven signs are no longer understood because, almost behind our backs, they have imperceptibly changed their meaning and value. Hence all the concern and disapproving head-shaking about the cultural decay which the old, but never the young, see all round them. Hence, too, the concern about the steadily increasing absence of culture in the younger generation and the reservation of this concept for certain periods and

nicht mehr verstanden werden, weil sie unmerklich, gewissermassen hinter unserem Rücken, ihre Bedeutung oder Wertung gewandelt haben. Darum das besorgte, missbilligende Kopfschütteln über den Kulturzerfall, den stets die Alternden, niemals junge Leute feststellen. Darum auch die Sorge um die ständig abnehmende Kultiviertheit der jüngeren Generation und die Reservierung dieses Begriffes für bestimmte Epochen und geographisch beschränkte Bezirke. Als ob derjenige kultiviert wäre, der sich «zu benehmen weiss» — und dies in genau festgelegter Weise — wie eine moralistisch-snobistisch orientierte Gesellschaftsklasse glaubte und glaubt. Kultiviert ist vielmehr, wer die Zeichensprache seines Kulturkreises in ihrer Komplexität kennt und versteht. Der in seiner Kultur verwurzelte Papua Neu-Guineas erhebt mit mindestens dem gleichen Recht den Anspruch auf Kultiviertheit, wie der Snob oder der betont Gutbürgerliche bei uns.

Auch die Gefahr, in bestimmten Vorstellungen stecken zu bleiben, besteht für den Menschen in jedem Bereich. Kulturen wandeln sich stets. Ueberall formen schöpferische Elemente Zeichen um, verleihen ihnen leise oder deutlich abgewandelte Bedeutung und schaffen dadurch neue Ordnungen.

Auch der in unserm Sinn Kultivierte wird jedoch niemals alle Zeichen der eigenen Kultur lesen und sprechen. Nicht nur ihrer unaufhörlichen Umwandlung wegen, die der Einzelne wie die Gruppe ständig bewirken. Wer heute ein Zeichen versteht, kann es morgen missverstehen, sofern er annimmt, es handle sich noch um das gleiche. Langhaar, Zweireiher, Uniform, Grussart, Stil jeder Art ändern unaufhörlich Bedeutung und erfahrene Bewertung und keiner, auch der in unserem Sinn Hochkultivierte, versteht sie dauernd richtig.

Auch deshalb ist jedoch selbst im engen Rahmen kleiner Gemeinschaften das ganze Spannungsfeld der Kultur niemals voll erfassbar, weil es nicht einheitlich, nicht konzentrisch ist. Es besteht aus einer Unzahl kleinerer und grösserer Kreise, die einander berühren, überschneiden, umfassen oder ausschliessen. Zahlreiche Zeichen werden bloss innerhalb gewisser Gruppen verstanden. Sie haben Code-Charakter. Wer liest Tram- und Bahnkurse, wer kennt die Flaggensprache, wer entziffert die Blindenschrift, die Bauernzahlen? Wer erfasst alle Signete, Signale, Gebärden, mit denen die Angehörigen einer Berufs- oder Sportgruppe, die Vereinigung der Amateurphotographen, die Burgenfreunde, die Fastnachtscliquen miteinander verkehren? Innerhalb der Gesellschaft als ganzer verständigen sich Gruppenangehörige mittels ihrer besonderen Sprache, erkennen einander

geographically limited regions. As if culture had anything to do with "knowing how to behave" — on narrowly prescribed lines — as a moralistic and snobbish class of society believed and still believes. It is much more a question of knowing and understanding the sign language of one's own cultural circle in all its complexity. The Papuan of New Guinea rooted in his own culture has at least as good a claim to being cultured in this sense as the snob or the respectable bourgeois in our society.

In every field there is a risk of man becoming fossilized in certain ideas. Cultures are constantly changing. Everywhere creative elements are transforming signs, changing their meanings slightly or radically, and thus creating new systems of order.

However, even the man who is cultured in our interpretation of the word will never read and speak all the signs of his own culture. For one thing because of this unceasing change which the individual and the group are constantly bringing about. We may understand a sign today and misunderstand it tomorrow if we assume that its connotations are the same. Long hair, double-breasted jackets, uniforms, forms of greeting, and style of every kind — all are constantly changing their significance and the value experience has hitherto attached to them, and no one, be he never so highly cultured in our sense, can understand them properly all the time.

And for another thing, it is impossible, even in small communities, to grasp the complex of a culture in its entirety because it is neither uniform nor concentric. It is composed of a large number of circles, large and small, which touch one another, overlap, embrace or exclude. Many signs are understood only within certain groups. They have the character of a code. Who reads tram and train timetables, who learns the language of flags, who deciphers braille, peasant numerals? Who knows all the emblems, signals, and gestures used in social intercourse between members of a professional or sports group, the association of amateur photographers, the castle-lovers' society, or the carnival drumming clubs? Within society as a whole members of a group communicate in their own language, recognize one another by signs forming a code which is incomprehensible to others and usually of no interest to them. Another factor is the complex and multi-faceted nature of the individual sign. The stranger who sees that two men on meeting each other raise their hats and then replace them will soon grasp that the two are greeting each other. But the finer shades of this form of greeting which intimate to the initiate the rank of the two men, the respect — real or assumed — they have for each

an Zeichen, die den übrigen als Code unverständlich und meist uninteressant sind. Hinzu kommt aber auch noch die Vielschichtigkeit und Komplexität des einzelnen Zeichens. Der Fremdling, der zwei einander begegnende Herren ihr Hüte von den Köpfen heben und sie wieder darauf niederlegen sieht, wird bald erfassen, dass diese beiden einander begrüssen. Nahezu unerlernbar sind die Nuancen dieser Grussform, die den Kenner Rang, gegenseitige wirkliche oder nur vorgetäuschte Wertschätzung, ja selbst so feine Details wie die durch die Mitbewegungen hindurchschimmernde Ironie über die Art dieses Rituals erfassen lässt. — Ebenso unerfassbar bleibt die Gesamtheit ihrer Schichtungen. Licht hinter einem Fenster mag ausser dem Faktum der Raumbeleuchtung bedeuten, dass hier jemand arbeitet, sorgt, wartet. Darüber hinausgehende weitere Bedeutungen haben Code-Charakter.

Ein Feuerzeug auf dem Tisch zwischen zwei Kartenspielern wird als Anzeichen dafür, dass hier geraucht wird, ohne weiteres verstanden. Dass es zudem die Funktion der Gedächtnishilfe hat, indem es jeweils bei demjenigen liegt, der die Karten ausgeteilt hat, dass es noch zusätzlichen Erinnerungswert und zahlreiche andere Qualitäten aufweist, das können nur die Eingeweihten erfassen.

Trotz der Vielschichtigkeit der Zeichen, der Verschlüsselung ihrer Bedeutungen und trotz des unaufhörlichen Wandels ihrer Werthaltigkeit, erfasst der Kenner ihre Bedeutung nicht additiv sondern mit einem Blick. Er erfasst sie durch ein Wissen, nicht durch Denken, denn er wendet sich ihnen aus einer Primitivschicht zu, er reagiert auf sie vergleichbar seiner Reaktion als Säugling auf die Kartonattrappe. Die Reaktion erfolgt aus einer seelisch «tiefen», bewusstseinsfernen Schicht. Daher die Raschheit unsrer Reaktion auf Zeichen im Verkehr, die Intensität ihrer Wirkung selbst bei getrübter oder geschwächter Aufmerksamkeit. Die «Alarmanlage» in uns sitzt tief.

Trotzdem erfassen wir, wie schon angedeutet wurde, nicht alle Zeichen spontan. Wir müssen sie kennenlernen. Wir müssen das in Zeichenform Geschriebene lesen lernen. Der Mühlenbesitzer, der einen Sack in besonderer Weise verknotet, «schreibt» seine Mitteilung über Kornart und Mass im Sack in Knotenform (Abb. 37), und wir müssen diese Schrift genau so lesen lernen, wie wenn er konventionelle Schriftzeichen auf ein Stück Papier geschrieben hätte. In beiden Fällen verwendet er bestimmte Zeichensysteme. Genauso liest der Bauer von den gekerbten Ohren der Schafe oder auf den durch Holzzeichen beschrifteten Baumstämmen, ob er seinen eigenen oder fremden Besitz vor sich hat, und der mirkonesische Segler orientiert

other, and even the glimmer of irony at this form of ritual which shows through their accompanying movements — these can never be learnt. And the totality of these different layers of meaning also eludes direct comprehension. Light in a window might indicate — apart from the fact that the room behind is illuminated — that somebody is working there, worrying, or waiting. Beyond that, meanings have the character of a code.

A cigarette lighter on a table between two card players is an indication that someone is smoking and is understood as such directly. But the fact that it is a jog to the memory, always lying as it does on the side of the player who has just dealt, and that it calls other things to mind and is invested with additional qualities, is something which only the initiate can appreciate.

For all the many facets of signs, the codification of their meanings, and the unceasing transformation to which their value content is subjected, the initiate grasps their meaning not additively but at a single glance. It is through knowledge, not through ratiocination, that he grasps them, addressing himself to them from a primitive layer of his mind where his reactions is akin to that of the baby seeing the cardboard dummy. The reaction proceeds from a deep level far below consciousness. Hence the speed of our reaction to signs in traffic and the intensity of their effect even when our attention is clouded or weakened. Our "alarm system" is located deep down inside us.

All the same, as we have intimated, we do not grasp all signs spontaneously. We have to get to know them. We have to learn to read what has been written in sign language. The mill owner who knots his sack in a particular way is "writing" in knots his message about the type and quantity of grain in the sack (Fig. 37) and we have to learn to read this language just as if it were in conventional written symbols on a piece of paper. In both cases he is using a definite system of signs. In just the same way the farmer can read from the notched ears of sheep or the marks on tree trunks wheter the property is his own or someone else's. And the Micronesian sailor finds his position at sea from the rattan chart (Fig. 129) of currents in exactly the same way as the captain with a printed marine chart. Both have been trained to decipher a code. What distinguishes the written character, even in coded form, from the sign in the extended sense of the word is the fact that it is bound to a formulated sequence of words. It is precisely this freedom from linguistic formalities that gives the sign its strikingly condensed meaning. Signs are, as it were, programmed messages. A rag of a particular colour combined with a cord knotted in a

sich an seiner aus Rotan gebundenen Segelkarte (Abb. 129), die die Strömungsrichtungen wiedergibt über seinen Standort auf dem Meer genauso wie der Kapitän, der eine gedruckte Karte vor sich hat. Beide entziffern aufgrund ihrer Schulung einen Code. Was das Schriftzeichen, auch das verschlüsselte, vom Zeichen im weiteren Sinn unterscheidet, ist seine Bindung an eine formulierte Wortfolge. Es ist gerade die Sprachfreiheit, die die unerhörte Dichte des Zeichens ausmacht. Zeichen sind gewissermassen programmierte Mitteilungen. Ein Lappen von bestimmter Farbe, der zusammen mit einer in bestimmter Weise geknoteten Schnur an einem Ast hängt, orientiert verwandte Stämme über Namen, Art, Anzahl der hier vorbeigezogenen Zigeuner; ein Stück Gaze an eine bestimmte Stelle einer Blume oder einer Pflanze gebunden, teilt Nachzüglern Richtung und Tagesstunde der vorbeigewanderten Pilger mit (Bolivien)*, einfache Zeichen wie Kreise und Gerade mit Kreide oder Rötel an Mauern gezeichnet, mit dem Messer in die Rinde von Bäumen geschnitten, vermitteln den Fahrenden wertvolle Hinweise von vielseitigem Inhalt. Auf einem einzigen, vierkantigen Prügel, dessen Seiten er in genormter Weise bekerbt, notiert der Alpvogt die Leistungen jedes Alpgenossen an Brot, seine Gegenleistungen in Milch und Käse (Abb. 119). Auch die doppelte Buchführung zwischen Schuldner und Gläubiger bedurfte nicht mehr als zweier gekerbter Holzstäbe (Abb. 120). «Zeichen» war eben nicht bloss die Form. Verschiedene Schreibweisen von Zahlen bekundeten unterschiedliche Inhalte — der Ort, d.h. die Stelle auf die gekerbt oder geritzt wurde, Vorder-, Rück- oder Schmalseite, Farbe, Beschaffenheit des Holzes — alles hatte seine bestimmten, den miteinander so Verkehrenden bekannten Bedeutungen. So verdichtete sich ein an sich ausführlicher «Text» über Leistungen, Schulden, Gegenleistungen sowie deren Abtragungen oder über Anzahl und Art des zu Zählenden zu einer verbindlichen Mitteilung. In analoger Weise werden differenzierte Mitteilungen heute für die Computerverarbeitung an vereinbarter Stelle auf Karten oder Papierstreifen gelocht. Beide Vorgänge sind programmiert und darum eindeutig. Die geistige Leistung ist trotz des technischen Fortschrittes, der unser Jahrhundert von früheren oder von sogenannten Primitivkulturen trennt, trotz der Unterschiedlichkeit der Kulturen, denen unsere Beispiele entnommen sind, ihrer Höhe nach ähnlich. Der Schritt von der abgeschlagenen Nase der Skulptur vor dem Häuptlingshaus als Trauerzeichen zur auf Halbmast gesetzten

certain way hanging from a branch is a message to kindred clans that conveys the name, kind, and number of the gypsies that have passed by that way; a piece of gauze tied in a particular position on a flower or plant tells stragglers about the direction taken by pilgrims that have passed by and what time of the day they were there (Bolivia)*. Simple signs like circles and straight lines drawn on wall with chalk or ruddle or cut into the bark of trees with a knife may have a variety of useful meanings for itinerants. The president of the alp notches the sides of a four-edged stick in a standard way to record the supply of loaves to each of the herdsmen pasturing his cattle there and their repayments in milk and cheese (Fig. 119). Even double-entry bookkeeping between debtor and creditor requires only two tally sticks which are notched at the same time (Fig. 120). "Sign" was, of course, not merely the form alone. The different ways of writing numerals expressed different meanings — the place, i. e. the position of the score or notch on the front, back, or narrow side, the colour, the type of wood — all these had a definite meaning for those who were associated in a particular transaction. In this way a detailed "text" about payments, debts, repayments and about the number and type of payers could be condensed into information binding upon both parties. In much the same way elaborate information can be punched at pre-arranged positions on cards or tapes for computer processing. Both processes are programmed and therefore unequivocal. In spite of the technical progress that separates our century from earlier or so-called primitive cultures, and in spite of the differences between the cultures from which our examples have been taken, the magnitude of the mental achievement is similar in both cases. The step from the broken nose of the sculpture outside the chief's house as a sign of mourning to the craped flag flown at half-mast in front of residence of a late head of government is not so great as we believe. The structure behind the outwards signs is similar. It would be a different matter if we had included in our compilation signs from which other effects are expected, e. g. irrational reactions. But we have deliberately refrained from doing so. The signs shown here have realistic meanings even if they are used in circles to which only "initiates" have access.

The field is a wide one. It calls for classification, and we have in fact divided the items into groups, aware though we are that they must necessarily be arbitrary. Some sort of order is necessary. But any sy-

* Mitteilung von Juan Conitzer, La Paz, Bolivien

* Communication from Juan Conitzer, La Paz, Bolivia

Flagge mit Trauerflor vor der Residenz des verstorbenen Regierungschefs ist nicht so gross, wie wir glauben. Die Struktur hinter den Erscheinungen ist ähnlich. Das wäre dann anders, wenn wir auch solche Zeichen und Symbole in unserer Zusammenstellung berücksichtigten, von denen andere Wirkungen erwartet werden, zum Beispiel irrationale Reaktionen. Darauf ist bewusst verzichtet worden. Die in diesem Zusammenhang gezeigten Zeichen haben realistische Bedeutungen, auch dann, wenn sie von Kreisen verwendet werden, zu denen nur «Eingeweihte» Zugang haben.

Das Gebiet ist weit. Es verlangt nach einer Gliederung, die wir im Bewusstsein ihrer Willkürlichkeit vornehmen. Eine Ordnung ist notwendig. Jede Ordnung zerschneidet aber Zusammenhängendes, löst innerlich Verbundenes und vergröbert durch ihren Raster die feine Punktierung des gesamten Bildes. Wir unterscheiden sechs Gruppen: Mitteilung, Aufforderung/Code/Signet/Legitimation, Rang, Stand/ Eigentum, Anrecht/Gedächtnishilfe.

Wenn eine erste Gruppe aus Zeichen gebildet wird, die Mitteilungen und Aufforderungen enthalten, dann kann eingewendet werden, jedes Zeichen teile im weiteren Sinn Bestimmtes mit, fordere auf. Auch ein Hirtenstab des Kapitels «Legitimation, Rang, Stand» teilt mit: nämlich, dass sein Besitzer dem Stand der Hirten angehört, einem Stand von Besitzlosen, einem Stand von Freien... Die Amtstracht des Polizisten, Krone und Szepter, Robe des Richters, alle machen Mitteilungen über bestimmte Stände, fordern auf zu entsprechendem Verhalten. Dennoch bilden wir eine separate Gruppe «Mitteilung, Aufforderung». Es sind in ihr Gebärden, gezeichnete und gekritzelte Briefe, Zeichen über soziale Ereignisse zusammengefasst, die dem Mitmenschen kundgemacht werden.

Ebenso bilden wir eine Gruppe «Signet» trotz der Tatsache, dass auch das Signet mitteilt, oder dass es — der Einprägsamkeit der Form wegen — der Gruppe Gedächtnishilfe zugeordnet werden könnte. Wir schaffen eine Gruppe «Eigentum, Anrecht» im vollen Bewusstsein dessen, dass viele dort auftauchende Zeichen Code-Charakter haben. Die Vielschichtigkeit der Zeichen weist eigentlich jedes einzelne verschiedenen Gruppen zu. Beinahe jeder Gegenstand mit Zeichencharakter könnte jeder der sechs Gruppen zugewiesen werden. Die Gruppierung ermöglicht aber nicht bloss eine Gliederung. Durch die so gesetzten Akzente veranschaulicht sie die Vielfalt der Bedeutung des Zeichens. Sie schärft unsern Blick für den Reichtum auch der unscheinbarsten Markierung, der einfachsten Zinke.

stem of order cuts across lines of relationship, ruptures inner links, and deadens the whole picture by failing to reproduce delicate shades in its coarse screen. We have distinguished between six groups: Information, Solicitation/Code/Emblem/Credentials, Rank, Status/Property, Title/Jogs to the Memory.

If a first group is made up of signs that contain information and solicits a reponse, it can be objected that every sign imparts information and solicits a reponse. Even a shepherd's crook in the chapter "Credentials, Rank, Status" imparts information: i. e. that the owner belongs to the class of shepherds, an unpropertied class, a free class .... The official uniform of the policeman, the crown and sceptre, the judge's robes — all have something to say about certain ranks and invite us to respond by certain forms of behaviour. All the same we have persisted in forming a group "Information, Solicitation". It embraces gestures, letters written in signs or scores and signs about social events which are "published" for one's fellow man. Similarly we have formed a group "Emblem" in spite of the fact that the emblem also imparts information, or that — because of its succinct and striking form — it might be assigned to the group of jogs to the memory. We have created a group "Property, Title", knowing full well that many of the signs appearing there have the character of a code. The many aspects of the individual signs actually entitles each one of them to a place in all the groups. But placing them in groups is not merely a form of classification. The accentuation it involves highlights the multiplicity of meanings in signs. It sharpens our eye for the richness of even the most unobtrusive sign — the hawker's mark.

Das gesprochene und das geschriebene Wort gelten im Allgemeinen als die eigentlichen Medien der Vermittlung von Gedanken. Hinzu kommen als bedeutende Attribute Tonfall und mimischer Ausdruck. Auch die Gebärde erläutert und intensiviert das Gesagte. Dem kleinen Kind vermitteln Tonfall, Mimik und Gestik unsere Mitteilungen eindeutiger als das Wort, aber auch Erwachsene verständigen sich durch Betonung und Gebärde. Erst die Sprachmelodie wandelt das Gesprochene in die unmissverständliche Mitteilung. «Du gehst nach Hause» kann je nach dem Tonfall Frage, Befehl oder Feststellung sein, darunter schwingen zahlreiche Nuancen mit, die zusammen mit dem Ausdruck und der Haltung das Gesagte unterstreichen, Lügen strafen, bagatellisieren, dramatisieren ...

Wir beschränken uns in dieser Arbeit auf das optische Zeichen. Hochmut und Demut, Trauer, Freude, Teilnahme, Glückwunsch, vorwiegend durch Haltung und Gebärde ausgedrückt, sind Träger unsres inneren Zustandes, unsrer Einstellung zum angesprochenen Mitmenschen. Wie wir Gesagtes meinen, vor allem: wer wir sind, verraten sie differenzierter als das Wort.

Mitteilungen erhalten wir durch vielerlei Medien. Jedes Zeichen teilt mit, warnt, fordert auf, verbietet. Die Wolke am Himmel ebenso wie das rote Licht im Verkehr, der erste Krokus am Rand des Schneefeldes wie der schwarzumrandete Umschlag im Briefkasten.

Die bedeutungsvolle Mitteilung erfolgt von jeher «schriftlich», nicht über das gesprochene Wort sondern über Zeichen.

Notizen zum eigenen Gebrauch, Mitteilungen aller Art wurden stets geknotet, gekerbt, geritzt solange nicht geschrieben wurde. Maori Kiki schildert aus seiner Kindheit, wie ein Tauschgeschäft, das der Sitte gemäss als ein Austausch von Geschenken vor sich zu gehen hat, abgewickelt wird. «Die Motu (Dorf an der Südküste Neu-Guineas) brachten ihre Töpfe nicht auf den Markt, sondern jeder ging damit zu seinem ,Handelsfreund', mit dem seine Familie seit Jahren oder gar Generationen in Verbindung stand. Heni, der Leiter

The written and spoken word are generally held to be the real media through which ideas are transmitted. And to these can be added intonation and facial expression as important attributes. Gesture, too, can explain and intensify what is said. For the small child intonation, facial expression and gesture are more definite modes of expression than the spoken word, and even adults communicate through stress and gesture. A message is not quite unequivocal until speech melody has been added to it. "You're going home" can be a question, an order, or a statement, depending on the way it is said, and then there are numerous undertones which, together with expression and attitude, underline what has been said, give the lie, belittle, dramatize ...

In this study we have confined ourselves to visual signs. Pride, humility, joy, sorrow, sympathy and congratulation, expressed mainly through attitude and gesture, are eloquent of our inner state, of our attitude to the person addressed. They are more subtle than the word in intimating how we mean what we say and, above all, who we are.

We receive messages through a wide variety of media. Every sign informs, warns, challenges, forbids. The cloud in the sky just as much as the red light in traffic, the first crocus on the edge of the snowfield just as much as the black-edged envelope in the letterbox.

From time immemorial the most important messages have been "in writing", not conveyed by word of mouth but by signs.

Notes for our own use, messages of all kinds, are always knotted, notched, or scored if they are not written. Maori Kiki recollects from his childhood how a barter transaction, which in accordance with custom had to proceed as if it were an exchange of gifts, was carried out. "The Motu (a village on the south coast of New Guinea) did not bring their pots to market; instead each man took them to his "trade friend" with which his family had been connected for years or even generations. Heni, the leader of the expedition, came to my father's house. He at once handed over all the pots to my father and it would have been considered bad form to pay for them or to ask a price. To

der Expedition, kam ins Haus meines Vaters. Er übergab meinem Vater sofort alle Töpfe, und es galt als unschicklich, sie zu zählen oder einen Preis zu fordern. Für einen Aussenstehenden mag es nach einem Geschenk ausgesehen haben. In Wirklichkeit aber zählte mein Vater die Töpfe sehr genau: während sie im Hause aufgestapelt wurden, musste einer der Söhne verschiedene Arten von Knoten in einen Strick machen, je nach Form und Grösse der Töpfe. Auf diese Weise schätzte mein Vater die Menge Sago ab, die er seinerseits geben musste.»

In jeder geordneten Gesellschaft sind Leistungen, Verpflichtungen, Forderungen genau geregelt. Durch wen, wann, wie lange ein Amt auszuüben war, wer wieviel bezahlt hatte, wer wem was schuldete, regelten durch Jahrhunderte Kerb- und Knotenschriften. Knotenschnüre, Kerbhölzer, Kerbstöcke regelten aber nicht nur den Geld- und Warenverkehr. Was immer vorgemerkt sein wollte, wurde in die «Tessel» eingekerbt oder -gebrannt. Oeffentliche Dienste, die in der Dorfgemeinde in festgelegter Folge zu leisten waren, etwa das Ziegenhüten, Glockenläuten, Anheizen des Gemeindebackofens, Bachhut (Regelung der Wache an einem beim Anschwellen gefährlichen Bach), Aufsichtsdienst der Frauen von einem Sonntag zum andern über die jungen Mädchen, Stundenrufen wurden auf jeweils besonderen Kehrtesseln notiert. Lasten und Beschwerden gingen dabei um von Haus zu Haus, wobei die Tesseln mitwanderten und «Anzeige machten, wer am nächsten Mal die Last zu tragen habe». Die Tessel machte die «Kehr», daher der Name Kehrtessel. Auf ihr war in der vereinbarten Reihenfolge das Hauszeichen notiert, ein aus geraden Kerben und aus Einstichen zusammengesetztes Zeichen, das mit dem Messer oder mit der Axt einge«schrieben» werden konnte. «Schreiben kommt zu uns durch die Römer: ahd. scriban/scribere, aber das lateinische Wort geht zusammen mit griechisch skaripháomei, das wie das griechische Schreiben ‚graphein‘ ursprünglich ‚graben, ritzen‘ heisst. Doch nicht erst durch die Römer lernen die Germanen Zeichen schreiben, denn sie haben ihr eigenes Wort ‚ritzen‘ dafür, z. B. ags. writan. Dieses Wort setzt sich gegen das lateinische Lehnwort durch in englisch write und erhält sich in deutsch ‚umreissen‘; ein ‚Grund-riss‘ ist eine Zeichnung nur in Linien.» (Menninger)

Solche Tesseln hatten oftmals eine beträchtliche Grösse, es waren eigentliche vierkantige Holzstangen von 1 m Länge und mehr. Eine andere Methode bestand im Aufreihen einzelner kleinerer Tesseln in der festgelegten Reihenfolge auf einer Schnur (Abb. 104, 105)

anyone not in the know it would have looked like a gift. In reality, however, my father paid for the pots to the penny: while they were piled up in the house, one of the sons had to make various kinds of knots in a cord depending on the size and shape of the pots. In this way my father gauged the amount of sage he would have to give in turn."

In every organized society, services, obligations, and demands are precisely regulated. For centuries knotted cords, tally sticks, etc, were used to record who should discharge an office, when, and for how long, and who owed what and to whom. But tally sticks were not used solely for money transactions and trade. Whatever had to be recorded was notched or burnt in tally sticks. Public duties which had to be performed in the village community in a fixed order, such as minding the goats, ringing bells, heating the village oven, flood watching (keeping watch over a stream likely to burst its banks), supervisory duties over the village girls by the women from one Sunday to another, calling the hour, and so forth were all noted on special tallies. Duties thus circulated with the tallies from house to house and showed "who was next on the rota". On the tally sticks were noted in an agreed sequence the house signs, which were composed of straight notches and incisions made with a knife or an axe. (In English ‚write‘ is derived from OE ‚writan‘ = OHG ‚ritzan‘ meaning ‚to tear‘, ON ‚rita‘ meaning ‚to score, write‘).

These tally sticks were often of considerable size. There were actually four-sided pieces of wood which were 3 feet or more in length. Another method consisted in lining up smaller sticks in a definite order on a cord (Fig. 104, 105) or tying them to a narrow perforated board (Fig. 107). "The bakehouse tally sticks . . . simply bear the house signs. They are strung on a cord. Baking takes place in the order in which they are arranged . . . The goatherd tally goes from house to house every day and shows where the goatherd obtains food and shelter in the evening". 1879 (Schweizerisches Idiotikon, Tässlen).

Signs which embody a challenge or invitation and are particularly dynamic in content may also be produced for a single occasion. The Star of David conveys a special message and elicits a particular response, similarly the fiery cross of the Ku Klux Klan, and the hat on the pole which Wilhelm Tell refused salute. Such meanings may also be revealed in the apparel. The mourning button imparts a message and also elicits a response; official robes do the same. And here the solicitation is a double one: it requires a certain deportment from the wearer — and also from the person meeting him.

oder dem Anbinden auf einem schmalen, gelochten Brett (Abb. 107) «Die Backhustesseln . . . enthalten bloss die Hauszeichen. Sie sind auf eine Schnur gezogen. In der Reihenfolge wie sie sich folgen, findet das Backen statt . . . Die Geissbubtessel, die jeden Tag von Haus zu Haus wandert, wo der Geissbub (Ziegenhüter) abends Nahrung und Obdach erhalten soll. 1879 (Schweizerisches Idiotikon, Tässlen).

Zeichen mit Aufforderungscharakter, die besonders dynamische Inhalte besitzen, können auch ihre einmalige Form annehmen. Der Judenstern teilte Besonderes mit, forderte zu Bestimmtem auf, ebenso das brennende Kreuz des Ku Klux Klan, der Hut auf der Stange, den zu grüssen Wilhelm Tell sich weigerte. Sie können sich aber auch in der Tracht dokumentieren. Der Trauerknopf teilt mit und fordert auf, dasselbe tut die Amtstracht. Dabei enthalten die Zeichen doppelte Aufforderung: den Träger fordern sie auf zu bestimmtem Verhalten, ebenso aber auch den ihm Begegnenden.

Zeichen dieser Art konstellieren mit die Kultur, sie durchdringen die Gesellschaft als Gemeinde, als Gruppe, als Familie, verdichten sich zum Code in der Beschränkung auf bestimmte Kreise, enthalten Legitimationsanteile, orientieren in vielerlei Art.

Signs of this kind help to shape a culture, they permeate society as a community, as a group, and as a family, they condensse into the code that places restraints on particular circles, they are credentials, they impart information of all kinds.

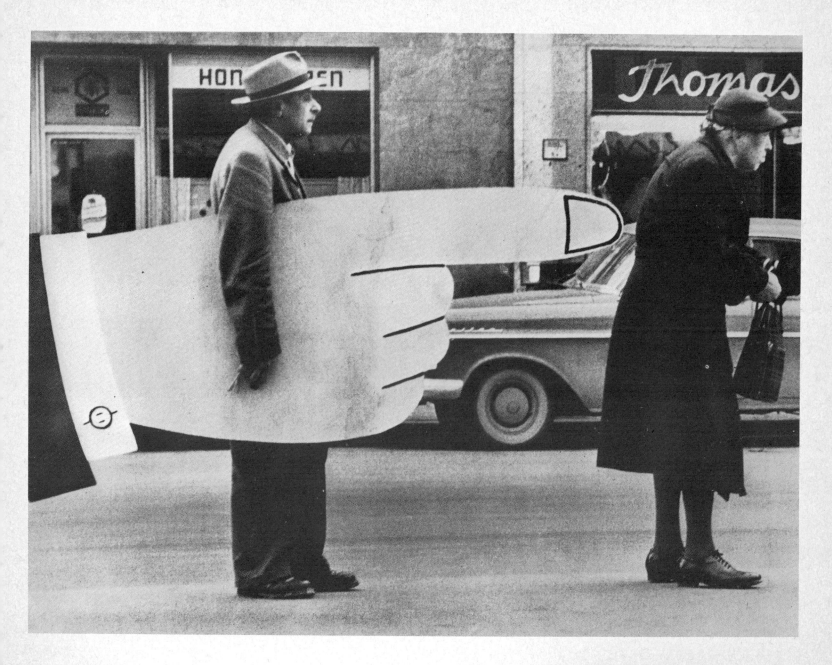

Mehr denken beim Lenken

Handzeichen schaffen Klarheit

SKS 1969

2
Poster for prevention of accidents: «Handzeichen schaffen Klarheit»

3
Gebärden sind ausdruckshaltig. Sie werden zum Teil spontan verstanden, zum Teil sind sie aber an bestimmte Kulturbereiche gebunden, so dass ihr Verständnis erlernt werden muss.

Gestures are expressive. Sometimes they are understood spontaneously but sometimes they are peculiar to certain cultural regions and their significance has to be learnt.

5

Links: Haltung und Gebärde teilen mit: Gesammelte Andacht
Trauer
Rechts: Anerkennung geistlicher Obrigkeit durch den Handkuss
(Kardinal Spellmann)
Fanatische Verehrung (Hitlergruss)
Left: Posture and gesture tell a story: Public devotion
Mourning
Right: Recognition of spiritual authority by kissing of the hand
(Cardinal Spellmann)
Fanatical veneration (Hitler salute)

4

Links: Grüssen wird gelernt
Gruss als traditionelle Gebärde entpersönlicht
Gebärde eines russischen Soldaten — für uns unverständlich
Rechts: Demutsbezeugungen beim Ruf des Muezzin
und im Dom von Freisung bei der Priesterweihe
Huldigung ägyptischer Beamter (Thebanisches Grab, Neues
Reich)
Left: Greetings must be learnt
Greeting as a traditional gesture depersonalized
Gesture of a Russian soldier — incomprehensible to us
Right: Manifestation of submission at the call of the muezzin and in
the Cathedral of Freisung during the ordination of priests
Homage of Egyptian officials (Theban tomb, New Empire)

6
Sprechende Bewegungen

Eloquent movements

7
Bedeutsame Gebärden:
links: Segnen
        Lehren
rechts: Abstimmen
        Demonstrieren

Significant gestures:
left: Blessing
      Teaching
right: Voting
      Demonstrating

8

Gesichtsausdruck und Gebärde sprechen an und werden spontan verstanden

Facial expression and gesture make their appeal and are spontaneously understood

9

Mitteilung der Trauer. Türpfosten vor einem Häuptlingshaus in Neukaledonien (Melanesien): Dem Gesicht wird die Nase abgeschnitten.

Intimation of mourning. Door-post in front of a chief's house in New Caledonia (Melanesia): The nose is cut off the face.

10

Geburts- und Todesanzeigen. Nicht nur der Text, schon die äussere Form ist Mitteilung.

Birth and death announcements. Not only the text but also the external form convey information

11, 12
a und b: Kränze und Schleifen (Schweiz, Deutschland etc.)

Wreaths and streamers (Switzerland, Germany, etc.)

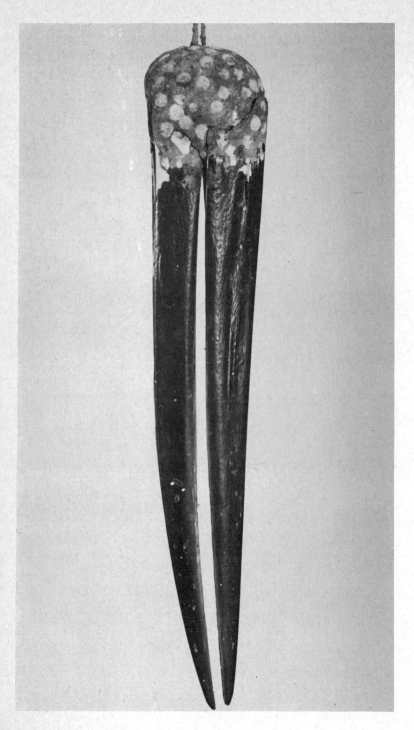

14
Pferd ohne Reiter mit angehängtem Säbel, schwarzer Satteldecke,
nach rückwärts gehängten Stiefeln, Trauerflor (Jacqueline Kennedy)
Mitteilungen des Todes, Aufforderung zur Anteilnahme

Riderless horse with sabre, black saddle cloth, boots hung backwards,
and crape (Jacqueline Kennedy)
Intimations of death, invitation to sympathize

13
Schnabel des Riesenstorchs als Botenstab, wird u.a. bei Todesfällen
verwendet (Australien)

Beak of the giant stork as a messenger's staff, used, among other oc-
casions, in bereavements (Australia)

15
Brennendes Kreuz des Ku Klux Klan
Judenstern
Freiheitsbaum
Aufforderung zum Aufruhr, zur Aechtung,
Mitteilung triumphierender Freude.

Fiery cross of the Ku Klux Klan
Star of David
Freedom tree
Call to riot, to outlaw, expression of trium-
phant joy

16
Signale orientieren, warnen, gebieten: sie ha-
ben Aufforderungscharakter

Signals guide, warn, summon; they solicit a
response

17

Links: *Wandkritzelei — ihr Inhalt bleibt Geheimnis*
Verkehrssignale in Tokio
Mitte: *Dorfschulzenstab (Deutschland)*
Verkehrssignale in Deutschland
Rechts: *Geschriebener Aufruf (Schweiz)*
Der Appell zur Gemeindearbeit nennt die Aufgerufenen nicht mit ihrem Namen, sondern mit dem Hauszeichen. Das Wirtshausschild fordert zum Eintreten auf.

Left: *Scribbling on the wall — its content remains a mystery*
Traffic signs in Tokyo
Centre: *Village mayor's staff (Germany)*
Traffic signs in Germany
Right: *Written summons (Switzerland)*
Roll call for communal labour does not refer to callees by name but by their house signs
The inn sign invites one to step inside

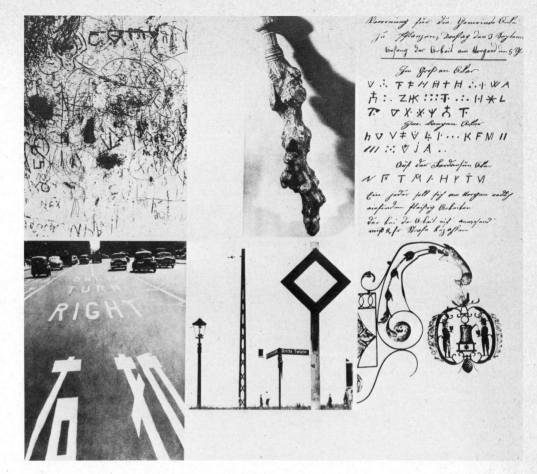

18

Brief von Jean Tinguely an den Kunsthändler Freund Felix Handschin. Sein Inhalt lautet ungefähr: «Bin in der Klemme, schick Geld, aber rasch!

Letter from Jean Tinguely to his art dealer and friend Felix Handschin. Its contents mean roughly: "Am in a jam, send money, quickly!"

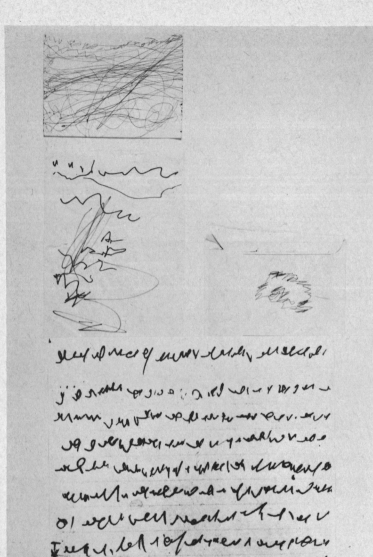

19
Kinderbriefe (dreijährig, vierjährig, fünfjährig), Mitteilungen? Wir können nur deuten und raten

Children's letters (3 years, 4 years, 5 years old). The message? We can only guess

20
Indianerbriefe
(links oben) Ojibwämädchen schreibt ihrem Auserwählten vom Salamandertotem: «Besuche mich! Geh auf dem Weg zu den drei Seen (rechts im Bild), zweige vorher nach links ab, dort wohnen drei getaufte (Kreuz) Mädchen in zwei Zelten. Im linken (ausgestreckter Arm) erwarte ich Dich.»
(links unten) Brief eines Cheyenne-Indianers vom Schildkrötenclan an seinen Sohn. Der Vater spricht (Verbindungslinie vom Mund zum Sohn, dem kleinen Mann): «Reise zu mir» (Aus dem Kopf des Sohnes strebt eine kleine Figur zum Vater) «53 Dollar (53 Kreise) habe ich überwiesen.»
(rechts oben) Petition von 1849 an den Präsidenten der Vereinigten Staaten. Die Tiere, Totems der Tschippeway-Indianer, sind durch Linien von den Augen und Herzen her als eines Sinnes dargestellt, bitten um Erlaubnis vom obern See (Streifen unter den Tieren) an den kleinen See zu ziehen.
(rechts unten) Mitteilung nordamerikanischer Indianer an ihre Stammesgenossen, auf Birkenrinde geritzt: «An dieser Stelle haben an drei Feuern 2 Indianer und 14 Weisse — darunter 8 Soldaten — gelagert.»

Indian letters
(Top left) Ojibwa girl writes to her intended of the Salamander totem: "Visit me! Go along the path to the three lakes (right in picture), turn left beforehand, there live three baptized (cross) girls in two tents. In the left one (outstretched arm) I am waiting for you."

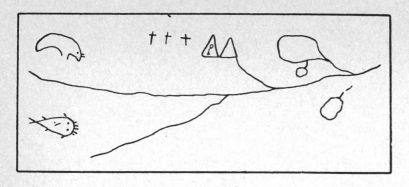

(Bottom left) Letter from a Cheyenne Indian of the tortoise clan to his son. The father speaks (line connecting his mouth to the son, the small man): "Journey to me" (Out of the son's head a small figure is straining towards the father) "I have sent 53 dollars (53 circles)."
(Top right) Petition of 1849 to the President of the United States.

The animals, totems of the Tschippeway Indians are shown as being of one mind by lines from eyes and hearts, ask for permission to move from the upper lake (stripes under the animals) to the small lake.
(Bottom right) Message scratched on birch bark to fellow members of their tribe: "In this place 2 Indians and 14 whites — including 8 soldiers — camped round three fires."

21

Zeichenverständnis ist Nestflüchtern und Vögeln angeboren. Raub-
vogelsilhouetten lösen bei Singvögeln auch dann Fluchtreaktionen
aus, wenn sie den Feind zum ersten Mal erblicken. Attrappen, an
grosse Fensterscheiben geklebt, veranlassen die Vögel zur Flucht und
schützen sie so vor den für sie unsichtbaren Scheiben.

Nidifugous chicks and birds have an innate understanding of signs.
The silhouettes of birds of prey provoke flight reactions in song-birds
even when they see the enemy for the first time. Dummies stuck to
window panes put the birds to flight and protect them from the in-
visible glass.

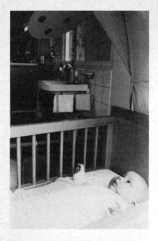 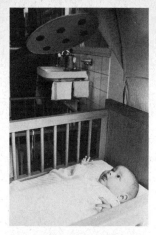 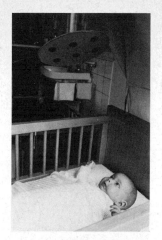

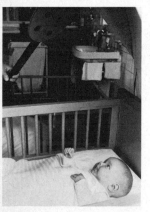 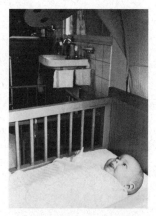 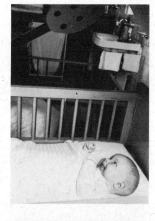

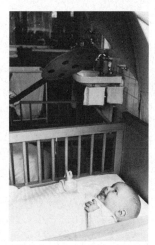 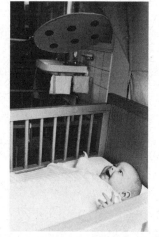

22—30

*(von links nach rechts und von oben nach unten hinter-
einander gestellt) Auch der Mensch hat einen ange-
borenen Sinn für Zeichen. Zuneigung von Gesichtarti-
gem löst beim Säugling das Lächeln aus. Noch das
Dreimonatskind kann jedoch ein Gesicht von einer
Attrappe mit 6 «Augen» nicht unterscheiden. Es lernt
im Verlauf des ersten Lebensjahres diese Zeichen dif-
ferenziert zu erfassen.*

*(from left to right and from top to bottom in sequence)
Man also has an innate understanding of signs. The
approach of something face-like brings a smile to the
infant's face. But the 3-month-old child cannot distinguish a face from a dummy with 6 "eyes". Only in the
course of its first year of life does it learn to distinguish
between these signs.*

31, 32
Giftflaschen, Warnung vor Hochspannung, Bahn- und Strassen-signale, Gebote, Verbote, Hinweise. Etiketten für Bahnfrachten enthalten Mitteilungen und Warnungen über die Art des Frachtgutes.

Poison bottles, high-tension warnings, rail and road signs, commands, prohibitions, directions. Labels for railway freight consignments contain information and warnings about the type of freight.

Nahezu jedes Zeichen besitzt einen unverständlichen respektiv nur Einzelnen verständlichen Anteil. Nicht bloss die Zinken der Fahrenden sind den Sesshaften unverständlich. Vermittelt das Huhn neben dem Fussgängerstreifen uns klare Assoziationen, so bleiben diese dort, wo das Federvieh bloss seiner Eier wegen interessiert und keine Bewertung allgemeiner Art erfährt, völlig aus.

Ausserhalb aber auch innerhalb der Gemeinschaften bleiben Marken dem einen rätselhaft, die der andere ganz selbstverständlich liest. Dem Kind, das in sein Himmel- und Höllespiel vertieft von einem Feld ins nächste hüpft (Abb. 53), macht der Offizier mit seiner blättchen- und kränzchenbestickten Uniform keinen tiefen Eindruck. Es sieht in ihm, der in sein auf die Strasse gezeichnetes Spiel tritt, bloss den Mann, der sein Spiel stört, während er, der die Regeln des Kinderspiels längst mit denen der Erwachsenenspiele ausgetauscht hat, das aufgezeichnete Spielfeld gar nicht als solches beachtet. Jedes Spiel verpflichtet sich einem bestimmten Code. Wer ihn nicht entziffert, kann nicht mitspielen — nicht im Militär, nicht im Fahrverkehr, nicht beim Jass oder beim Majong.

Wo Beschriftung umständlich oder unverständlich wäre, wo die Einmischung Unberufener verhindert werden soll, treten Zeichen auf. Im internationalen Verkehr bevorzugen wir Zeichen. Immer mehr Menschen lernen immer mehr solcher codifizierter Markierungen kennen — wir bewegen uns zunehmend in Signallandschaften. Die Fahrenden dagegen verkehren miteinander unter den Augen der übrigen Bevölkerung in einer ihr unverständlichen Schrift: Gauner- und Bettlerzinken finden international Verwendung. Ihre Bedeutung dagegen ist regional. Bedeutet der Stein auf der linken Seite des Gehöfteinganges in Bolivien, dass in diesem Haus eine Frau allein wohnt, so signalisiert dies der fahrende Katalane durch die primitive Skizze einer weiblichen Gestalt. Deutet das quergestellte Kreuz in Katalanien auf eine bewachte Gegend, wo das Betreten der Obstgärten nicht ratsam ist, so sagt dasselbe Zeichen dem Hausierer, der

There is a part of almost every sign which is incomprehensible or comprehensible only to initiates. It is not merely the itinerant hawker's marks that baffle the denizen. If he chicken by the pedestrian crossing evokes clear associations in our minds, it utterly fails to do so when our interest does not extend beyond its eggs to any more general scheme of values. But within and without communities there are signs which are arcane to one person while another reads them as a matter of course. The child busy jumping from one division to another in his game of hopscotch (Fig. 53) is not greatly impressed by the officer with his braided uniform. As the latter steps on its chalk-marks in the street, the child sees him simply as the man who is getting in the way of its game, while he, who long ago exchanged the rules of hopscotch for more adult entertainments, scarcely notices the drawn figure as such. Every game has its code of rules which must be obeyed. And those who fail to decipher it cannot participate — whether in the army, in road traffic, in a card game, or in majong.

Where lettering would be too much trouble or incomprehensible, or where the interference of outsiders is to avoided, signs come into their own. For ready understanding signs are preferred in international communications. Ever more people are learning ever more codified marks, and we move more and more through a landscape of signs. Itinerants on the other hand communicate with one another under the very noses of the population in a language which only they can understand: they use the thieves' and beggars' marks found in every country. Their meaning, however, is regional. If in Bolivia a stone on the left hand side of the farm entrance means that a woman is living alone in that house, the Catalan itinerant conveys the same message by a primitive sketch of a female form. Whereas in Catalania a cross on its side indicates a guarded region where it is not advisable to enter the orchards, the same sign on a letterbox in North-West Switzerland means that normally nothing can be hoped for at that address.

es an einem Briefkasten in der Nordwestschweiz sieht, dass hier normalerweise niemand zu Hause ist.

Auch unter Druck und in Situationen der Gefahr entstehen Mitteilungen chiffriert. In Gefängnissen oder Gefangenenlagern werden Nachrichten auf dieselbe Weise vermittelt, wie unter den Fahrenden im frühen Mittelalter, die sich unter dem Druck der Verfolgung durch die freien Städte frühzeitig organisierten.

Geheimhaltungsabsicht, Analphabetentum, Notwendigkeit sprachfreier Verständigung aber auch einfach Gruppenbildungen, alle schaffen jederzeit das codifizierte Zeichen, das je nachdem eng begrenzte oder auch sehr weite Verbreitung findet.

Messages are encoded in situations of constraint or danger. In prisons or prison camps news is passed round in the same way that it was among itinerants in the early Middle Ages when they were forced to organize themselves under the persecution of the free cities.

Illiteracy and the need for secrecy or communication without language have at all times been a fruitful source of codified signs, as has the simple formation of groups, and these signes have been adopted very widely or only locally, depending on circumstances.

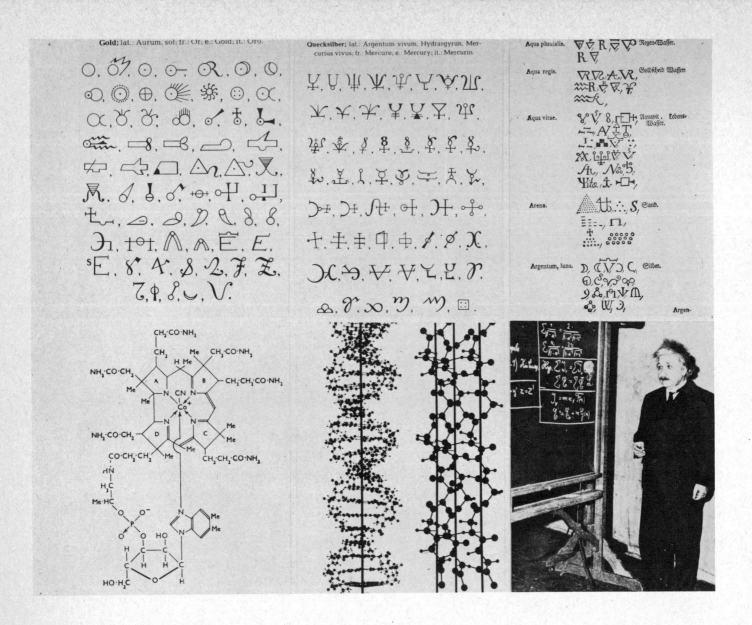

Geheimnis für den Laien:
Alchimistische Zeichen für Gold, Quecksilber, Silber
Chemische Formeln, Strukturformeln, mathematische Formeln
Albert Einstein bei der Darlegung der Relativitätstheorie

Mysteries for the layman:
Alchemistic signs for gold, mercury, silver
Chemical formulae, structural formulae, mathematical formulae
Albert Einstein explains the theory of relativity.

35

Notenschriften aus dem beginnenden 15. und 17. Jahrhundert
Planetenzeichen als Toncharaktere (1590)
Unlesbare «Noten» von Sylvano Bussotti: Das Klavierstück für
David Tudor sollte wohl den esoterischen Charakter der Musik be-
tonen, die nur Geistesverwandten zugänglich ist.

Musical notation from the early 15th and 17th centuries Planetary
signs as notes (1590)
Unreadable "score" by Sylvano Bussotti: the piano piece for David
Tudor is no doubt intended to emphasize the esoteric character of the
music which is accessible only to kindred spirits.

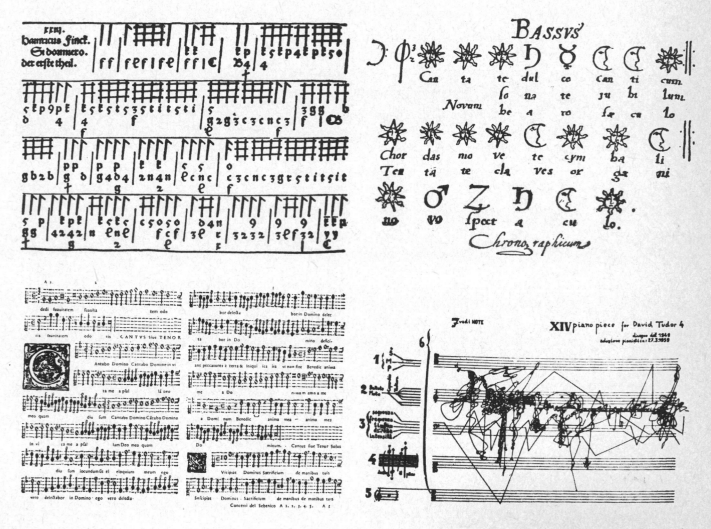

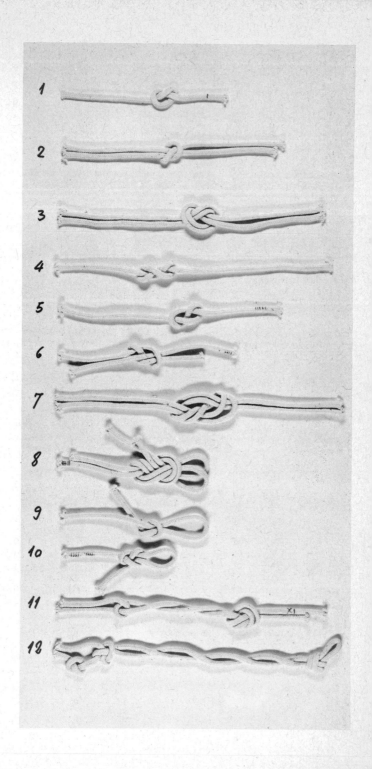

36

Huhn, das neben dem Fussgängerstreifen die Strasse überquert. Eindeutiger Sinn für Menschen im modernen Kulturraum. Code für diejenigen, die das Huhn nur als Eierspender oder Nahrung, nicht aber bezüglich seiner Intelligenz taxieren. (Plakat von Hans Hartmann)

egidii · marie · crucis · lamberti · mathei · michael

2 10 18 5 15 4 12 1 9 17 6 14 3 11 19 8 16 5 13

36
Chicken crossing the road by the pedestrian crossing. The meaning is clear for dwellers in modern civilization but encoded for those who regard the chicken as food or a supplier of eggs but never as an intelligent creature (poster by Hans Hartmann)

37
Müllerknoten gaben dem Kenner Auskunft über Gewicht und Mehlsorte im Sack. Kleinere Mühlen verknoteten ihre Säcke in dieser Weise um so auf einfache Art Ordnung in die Vielzahl der Mehlaufträge zu bringen. (Süddeutschland, 19. Jahrhundert)

37
Miller's knots tell the initiate the weight and type of flour in the sack. Small mills used to knot their sacks in this way as a simple means of introducing system among their many small orders (Southern Germany 19th century)

38, 39
Bauernzahlen auf einem steirischen Bauernkalender, darüber die Wochentage in den ersten 7 Buchstaben des Alphabets dargestellt. Peasant numerals on a Styrian farmer's calendar; above, the days of the week are represented in the first 7 letters of the alphabet

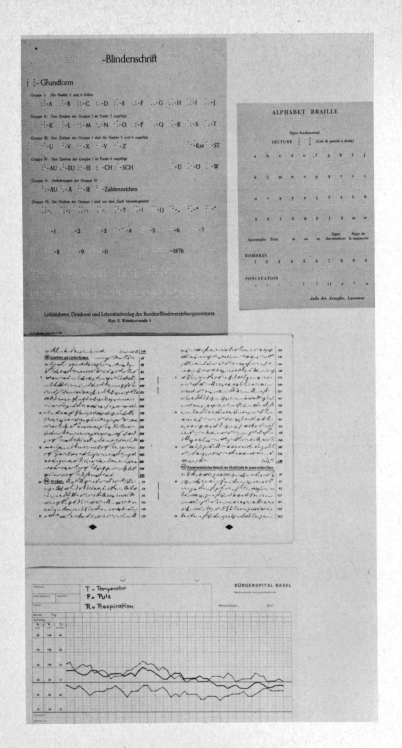

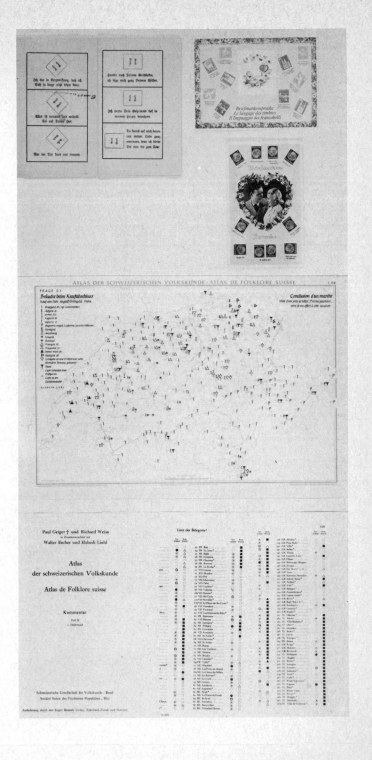

← 40, 41

Blindenschrift, Stenographie, Kurven für den Arzt, Briefmarken-
sprache, Zeichen auf den Karten des Schweiz. Atlas für Volkskunde.
Dem Laien sagen sie nichts, sie orientieren den Kundigen.

Braille, shorthand, medical graphs, philatelic language, symbols on
the maps of the Swiss Folklore Atlas. They are meaningless to the
layman but informative to the expert.

42

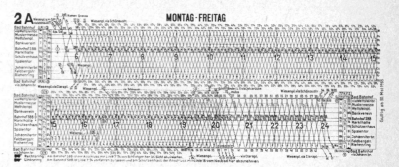

43

42, 43, 44
Mitteilungen für den Fachmann:
Erdbebenaufzeichnungen
Strassenbahnkurse
Bahnkurse

Information for the technical expert:
Seismograms
Tram services
Train services

44

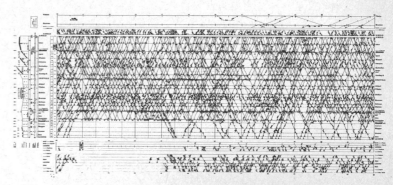

46

Der Weichensteller teilt dem Kenner Präzises mit. Vom Durchschnittsreisenden wird die Stellung nicht beachtet.

The points indicator has a precise message for the railwayman. The average traveller never notices its position.

45

Signal das vom Kapitän gesetzt wird, um dem begegnenden Boot seine Absicht mitzuteilen, vorschriftswidrig zu kreuzen (auf dem Rhein).

Signal by the captain to indicate to the oncoming boat his intention of passing on the wrong side (on the Rhine).

47, 48

Code: am Flugzeug
im Schiffsverkehr
bei den Pfadfindern
am Sternenhimmel
in der Flaggensprache

Code: on aircraft
in navigation
among boyscouts
in the firmament
in the language of flags

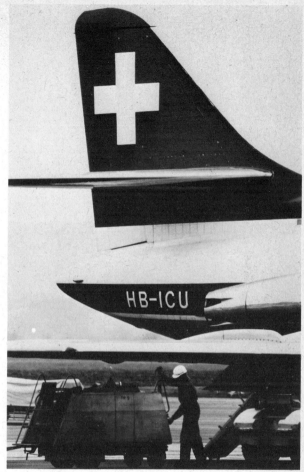

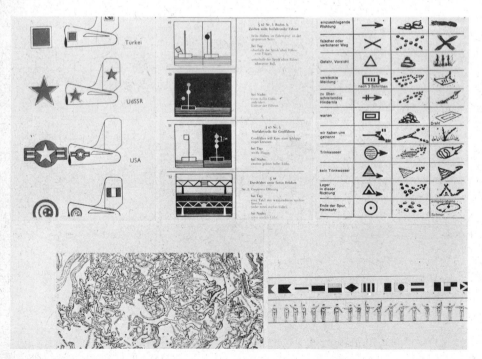

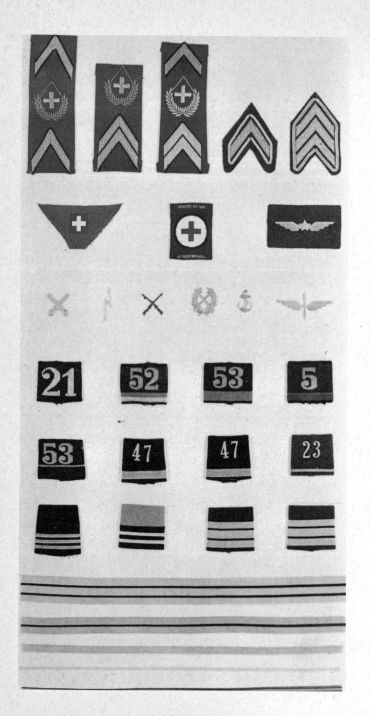

49, 50, 51, 52, 53
Armeeabzeichen (Schweiz)
Spielsteine
Spielkarten
Spielwürfel
Himmel-und-Hölle Spiel (China, Indien, Schweiz)
Wer mitspielen will, muss die Regeln kennen

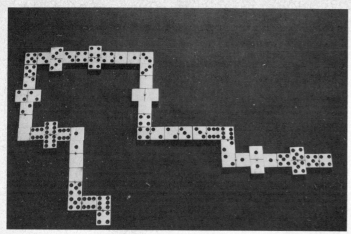

49, 50, 51, 52, 53
Army badges (Switzerland)
Playing stones
Playing cards
Dice
Hopscotch (China, India, Switzerland)
To play the game you must know the rules

43

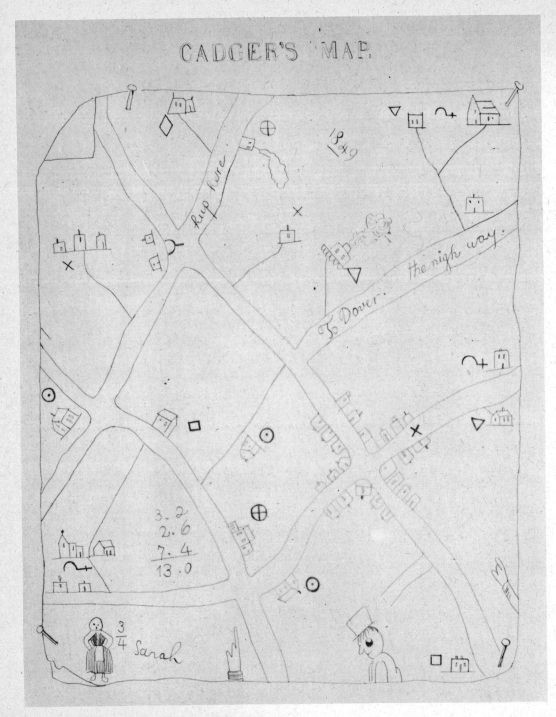

CADGER'S MAP.

54

Situationsplan eines Hausierers und Bettlers aus London. Orientiert ihn selbst und seinesgleichen. Die Zeichen haben nur lokale Bedeutung und sind meist nur Eingeweihten bekannt.

Plan of hawker and beggar in London. It is guide to himself and his fellows. The signs have only local significance and usually mean something only to those in the know.

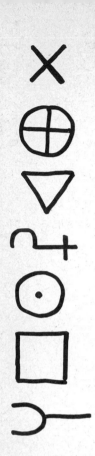

55

*Nicht gut: zu arm und wissen zu gut Bescheid
Fromme Leute, aber im ganzen doch erträglich
Gekupfert, zu stark mitgenommen durch zu viel
Bettelkonkurrenten
Halt an — wenn du etwas hast, was sie gebrauchen, werden sie es abnehmen. Sie sind ziemlich
erfahren und bei der Hand
Bedenklich, mach dich auf einen Monat Gefängnis gefasst
Nicht günstig, du kannst leicht gefasst werden.
Nimm dich vor dem Hund in acht.
Nimm diese Richtung, sie ist besser als der andere Weg, wo nichts zu holen ist.*

*No good: too poor and too fly. Pious folk, but
all right on the whole. Hard cases, over-exploited
by too many rival beggars. Stop — if you have
something they need, they will buy it from you.
They are pretty experienced and smart. Risky, be
ready for a month in gaol.
Steer clear, you can easily get caught. Mind the
dog. Go this way, it is better than the other way,
where there is nothing to be had.*

57

*Auch der Fahrende in Katalonien (Spanien) findet das Zeichen in
den Baum am Weg gehauen. Bedeutung hier: «Bewachte Felder und
Gärten, geh nicht hin!»*

*The traveller in Catalonia (Spain) finds the sign cut in the wayside
tree. Here it means: "Guarded fields and gardens, don't go in!"*

56

Dasselbe Zeichen orientiert auch den Hausierer in Basel. X am Briefkasten bedeutet: «Nichts zu machen, Leute sind meist abwesend».

*The same sign is a guide to the hawker in Basle. X on the letterbox
means: "Nothing doing, people usually away".*

SURAT-SUARA

Pemilihan anggota: DEWAN PERWAKILAN RAKJAT TH. 1954.
Daerah-Pemilihan: DJAWA-BARAT.

Nr. C. 4.	Nr. C. 5.	Nr. C. 6.	Nr. C. 7.	Nr. C. 8.	Nr. C. 9.
...PIAN DKK.	PARTAI KEBANGSAAN INDONESIA (PARKI).	R. ODO SURAMIHARDJA DKK.	PARTAI RAKJAT NASIONAL (P.R.N.).	PARTAI PERMAI (PERSATUAN RAKJAT MARHAEN INDONESIA).	KUMPULAN PEMILIH BULAN BINTANG.

Nr. C. 14.	Nr. C. 16.	Nr. C. 18.	Nr. C. 19.	Nr. C. 20.	Nr. C. 21.
...RIKAT ISLAM ...IA (P.S.I.I.).	PARTAI REPUBLIK INDONESIA MERDEKA (PRIM).	MASJUMI.	ANGKATAN BARU INDONESIA.	MURBA PEMBELA PROKLAMASI.	PERSATUAN PEGAWAI POLI-SI REPUBLIK INDONESIA.

Nr. C. 26.	Nr. C. 27.	Nr. C. 28.	Nr. C. 29.	Nr. C. 30.	Nr. C. 32.
...AI TANI ...IA (P.T.I.).	PERSATUAN RAKJAT DESA.	AMAN ABDURAHMAN KARTADIPUTRA.	GERAKAN PEMBELA PANTJASILA.	KOMITE PEMILIH RAKJAT SELURUH INDONESIA.	IKATAN PENDUKUNG KE-MERDEKAAN INDONESIA.

Nr. C. 36.	Nr. C. 37.	Nr. C. 39.	Nr. C. 40.	Nr. C. 41.	Nr. C. 42.
...L KOMITE ...NEGARA.	SARBUPRI.	PARTAI NAHDLATUL ULAMA (N.U.).	GERAKAN BANTENG R. I.	PERSATUAN INDONESIA RAYA (P.I.R.).	P.K.I.

Nr. C. 48.	Nr. C. 49.	Nr. C. 50.	Nr. C. 51.	Nr. C. 52.	Nr. C. 53.
...APRABONAN DKK.	PARTAI KATOLIK.	HIMPUNAN KEMA-NUSIAAN.	Nj. S. KARTOWIJONO.	DRO THUNG SIN NIO DKK.	PRABU KRESNO.

Nomor Daftar	Nomor urut tjalon	Nama-Tjalon

58

Code für Analphabeten: Indonesischer Wahlzettel (ca. 1955). Das Zeichen der Partei, der man die Stimme geben will, muss ausgeschnitten und in das leere Feld rechts unten geklebt werden.

Code for illiterates: Indonesian ballot paper (c. 1955). The sign of the party the citizen wishes to vote for must be cut out and stuck in the empty field at the bottom right.

Das Signet hebt das Zeichen aus seiner Natürlichkeit und Austauschbarkeit. Es ist gestaltetes Zeichen, charakterisiert durch Eindeutigkeit, Einfachheit, Einprägsamkeit. Gegenüber dem Wort hat es den Vorzug der Bedeutungsdichte. Häufig steht es für die Person: Der Handwerker zeichnet sein Werk, die Stadt ihre Dokumente, das Amt seine Erlasse, der Einzelne sein Eigentum. Das Signet prägt diese zum Besonderen, Unverwechselbaren — es repräsentiert sie. Es steht aber auch für die Sache. Durch die Marke wirbt der Hersteller für die Qualität seiner Produkte. Das Hauszeichen, mit dem der Bauer sein Eigentum, der Handwerker seine Arbeit kennzeichneten, musste sich leicht in Holz ritzen, in Stein hauen lassen. Es musste zugleich einfach und unverwechselbar sein. So entstanden klare, schöne Zeichen. Als das Schreiben die Angelegenheit weniger Einzelner war, wurden Erlasse, Ankündigungen, Dokumente meist mit diesen Hauszeichen versehen. Sie wurden anstelle der Unterschrift gesetzt, sofern nicht einfach ein Kreuz eingetragen wurde. Ein persönlich gezeichnetes einfaches Zeichen fand lange Zeit dieselbe Anerkennung wie die Unterschrift. Es ging hier weniger um die Unverwechselbarkeit solcher Signaturen als darum, dass sie in Anwesenheit glaubwürdiger Personen von den Betroffenen selbst gefertigt wurden. Die Unterschrift selbst nimmt beim Schreibgeübten ihrerseits oft Signetform an. Die individuelle Bewegungsart macht sie zum unverwechselbaren, schwer imitierbaren Kennzeichen ihres Urhebers, das sich dadurch von anderen Signeten unterscheidet, dass es stets mit Ausdruck der Person ist. Zwar wird sich der Namenszug häufig von der Handschrift nicht besonders abheben. Auch so ist er ausdruckshaltig. Wo er es jedoch tut, teilt er uns Zusätzliches mit über den Autor. Stärker als die übrige Schrift, die dem Kenner die Stellung des Schreibers zur Mitwelt und Umwelt, sein Eingebettetsein in die Welt oder seine Verlorenheit in ihr, seine Haltung in ethischen, ästhetischen, religiösen, philosophischen Belangen mitteilt, orientiert die Unterschrift über die Beziehung des Schreibers zu sich selbst. Er kann

The emblem is a sign which has shed its naturalness and its exchangeability. It is a sign deliberately created to be clear, simple and easy to remember. Unlike the word, it has the advantage of condensing meaning. Frequently it stands for a person or body: the craftsman marks his work, the city its documents, the office its decrees, the individual his property. The emblem stamps them as special and unmistakable — it represents the owner. But it also stands for the object. The manufacturer uses the brand to advertise his products. The house sign with which the peasant marks his property or the craftsman his work must be easy to score in wood or cut in stone and, at the same time, simple and unmistakable. In this way clear and attractive signs take shape. In the days when few people could write or read decrees, announcements, and documents were usually marked with these house signs. They were used instead of a signature, if indeed a simple cross alone was not made. A simple personally drawn sign had for a long time the same validity as a signature. It was not so much that such signatures were unmistakable as that they were made by the signatory himself in the presence of trustworthy witnesses. For writers with a practised hand the signature itself often assumes the character of an emblem. The individual ductus makes it into the originator's distinguishing mark, unmistakable and hard to imitate, and it always differs from other emblems in thest it is invariably the expression of the person. Often the signature is not very different from the handwriting, but even so it is expressive. Where it does differ markedly, it gives us some additional information about its author. Whereas ordinary writing reveals to the expert the writer's attitude to the world in which he lives and the people he lives with, his being or not being at home in the world, his attitude in ethical, aesthetic, religious and philosophical questions, his signature rather reveals the writer's relationship to himself. He can perform applause-begging pirouettes, reflect, inflate and draw himself up above his true stature, or he can hide himself, make himself small, humble, modest, and simply leave

sich in Beifall heischender Pirouette drehen, sich bespiegeln, aufblähen und überhöhen, er kann sich aber auch hinter die Sache stellen, sich verkleinern, demütig, bescheiden, schlicht das Urteil den Andern überlassen. Er kann durch eine glanzvolle Aufmachung, die ihm in der übrigen Handschrift nicht gelingt, seine dürftige Person in der Unterschrift aufpolieren, er kann sich durch Zusätze tarnen.

Darüber hinaus fliesst aber noch sehr viel Unbeabsichtigtes in die Unterschrift ein, das ihre Aussage vertieft. Es ist das Situative, die Lage, in der sich ein Mensch wirklich oder scheinbar befindet, seine Stimmung, seine Reaktion auf sie. Die Unterschrift wird so zum verdichteten Ausdruck der Persönlichkeit, steht also für sie in doppeltem Sinn, ihrer Unverwechselbarkeit wegen ebenso wie wegen ihrer Ausdruckshaltigkeit.

Unverwechselbar sollen auch die Marken sein, mit denen ein Unternehmen seine Produkte schützt, sich selbst von andern unterscheidet. Sie sollen darüber hinaus aber auch noch werben, d. h. sich einprägen, Assoziationen wecken, anziehen. Das kann durch die Wiederholung mehr oder weniger ungestalteter Formen versucht werden. Wirksamer wird das Signet durch gezielte Gestaltung. Sie kann Formen reduzieren — im Extremfall bis an die Grenze des Formzerfalls — sie kann einen vorhandenen Vorstellungskern anreichern bis er die Forderung der Einprägsamkeit und Unverwechselbarkeit erfüllt. Dabei besteht die Signetwirkung wohl nicht darin, dass sämtliche im Signet enthaltenen Assoziationen jeweils beim Ansehen entstehen. Wir überspringen diese Phase beim Betrachten. Es können also auch solche Zeichen als Signete gewählt werden, die gar keine oder höchstens entfernte Beziehung zu ihrem Gegenstand haben. Folge ihrer Wiederholung ist es, dass sie sich gewissermassen — in Wirklichkeit wir sie — projektiv — mit Assoziationen anreichern. Die Wirksamkeit des Signets liegt einerseits in der Art, mit der es den Zeitgeschmack trifft. Es muss diesem in ganz bestimmter Weise angemessen sein. Anderseits wird seine Wirkung umso besser sein, je tiefer die Bewusstseinsschicht liegt, die das Zeichen anspricht. Auf ein Signet, das auf psychische Primitivschichten wirkt, dürften wir intensiver und rascher ansprechen als auf eines, das unsern Intellekt bemüht. Das affektiv Neutrale muss sich mühsam dort einfressen, wohin das andere von Anfang an trifft.

the verdict to others. By a brillant display which is missing in his ordinary writing he can use his signature to boost his insignificance; he can seek to disguise himself by adding trimmings.

But, besides all this, a great deal more goes into his signature than he ever intends and enhances its value as an indicator. Into it goes the situation in which a man finds himself either in reality or appearance, into it goes his frame of mind, and into it goes his reaction to his situation. Thus the signature becomes the condensed expression of the personality and stands for it in two ways: it is unmistakably his and no one else's and it is the expression of what he is.

This unmistakability should also be a feature of the trademarks with which a firm protects its products and distinguishes itself from its competitors. At the same time it should do an advertising job, i. e. impress itself on the public mind, evoke associations, and attract. This can be achieved by the repeated display of forms more or less devoid of design. But an emblem which has been designed with a particular purpose in mind will do the job far more effectively. The designer can pare down forms — in extreme cases virtually until form distintegrates completely — or he can take an existing germinal idea and add to it until it is impossible to confuse and easy to remember. The emblem probably does not produce its effect by in variably arousing all its inherent associations in the onlooker. This is a mental process omitted when we look at an emblem. For this reason signs can be chosen as emblems which have absolutely no relationship, or at least only a very tenuous one, with the object represented. By dint of repetition they gather associations about them or, to be more accurate, we project associations into them. The effectiveness of an emblem also partly depends on the way it meets contemporary taste. It must do this in a very particular way. On the other hand its success also partly depends on the level of consciousness to which it appeals. We react more intensely and more promptly to emblems which appeal to the more primitive levels than to those which engage the intellect. The emotionally neutral emblem must slowly eat its way down to the level which the other type strikes at once.

Signet, Emblem   Sign, Emblem

Wirtshausschilder haben auch Signetcharakter (Schweiz).

Inn signs also have the character of an emblem

61, 62

Wirtshausschild, Schriftzeichen, naturalistische oder grafisch vereinfachte Form — das Signet verdichtet Inhalte, prägt sich leicht ein und wirbt

Inn sign, written character, naturalistic or graphically simplified form — the emblem condenses meaning, imprints itself on the memory and advertises.

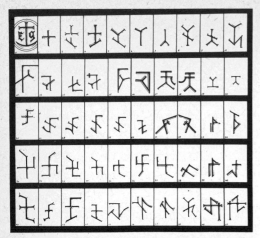

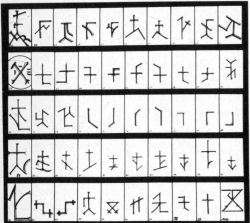

63
Zusammenstellung von Steinmetzzeichen
Unten links: Zeichen des Tuchmachers
Unten rechts: Zeichen der Hammerschmiede

Group of stone mason's marks
Bottom left: mark of clothmaker
Bottom right: mark of hammersmith

64
Petschaft eines Feilenhauers
Sign of a file-cutter

65
Petschafte eines Müllers und eines Tischlers (Hallau, Schweiz)
Signs of a miller and a joiner (Hallau, Switzerland)

Signete finden universell Verwendung: Pfadfinder (oben links), Notar (unten links), Stadtzeichen (oben rechts), Gold- und Silberkontrolle (Mitte rechts), Urkundensiegel (unten rechts)

Emblems are in universal use: boyscout (top right), notary public (bottom left), city sign (top right), gold and silver hallmarks (centre right), seal on deed (bottom right).

67
Stadtsiegel (Basel, Schweiz)

City seal (Basle, Switzerland)

68
Bronzepetschaft (China)

Bronze signet (China)

69

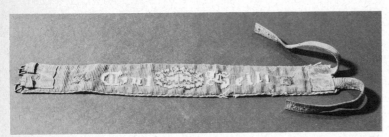

70

71

69

Signet in extremer Stilisierung
Highly stylized device

70

Turnergürtel in Perlenstickerei aus dem 19. Jahrhundert, zwischen der Schrift die vier F als Signet (frisch, fromm, fröhlich, frei)
19th century gymnast's belt in pearl embroidery, the four F's form an emblem between the writing (frisch, fromm, fröhlich, frei — fresh, pious, merry, free).

71, 72

Abzeichen zum Verkauf und Brauerei-Signet — werben für eine Idee, sind aber auch Dokumente des Zeitstils
Badges for sale and brewery trademark. They win adherents for an idea, but are also documents of contemporary style

73, 74

Schnörkel und Paraphen (Namenszug) sind eigentlich die «Ursignete». Oben: Schnörkeleien von Steinberg, unten: Signete Napoleons in verschiedenen Schicksalsphasen; anschaulicher Ausdruck der seelischen Verfassung.
Flourishes and curlicues (signature) are actually the "original signet". Above: curlicues by Steinberg. Below: flourishes by Napoleon at various stages of his career; graphic expression of his state of mind.

72

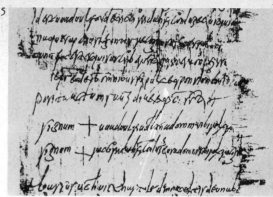

75

Signet als Unterschrift: das Kreuz ersetzt den Namenszug des Schreibunkundigen (Ausschnitt Papyrus. Ravensburger Urkunde von 535/542 n. Chr.)

Sign as signature: the cross replaces the signature of those who cannot write (Detail of a papyrus. Ravensburg deed of 535/543 AD)

73

Die erste Unterschrift des neuen «Kaisers der Franzosen», 1804.

Proklamation des Siegers von Austerlitz, 2. Dezember 1805.

Während des Brandes von Moskau im September 1812.

Im Schlitten auf dem Rückzug aus Rußland, Oktober 1812.

Nach der Niederlage bei Leipzig, am 23. Oktober 1813.

Nach der Abdankung in Fontainebleau, am 11. April 1814.

Nach der Entscheidungsschlacht von Waterloo am 16 Juni 1815.

Namenszug des Verbannten auf der Insel St. Helena, 1818.

76

Urkunde Papst Leo X von 1501: Im Kreis — Leo P(apa). Das Signet rechts bedeutet Benevalete. Es wurde seit dem 11. Jahrhundert nicht mehr vom Papst geschrieben. Eigenhändig unterschrieb dagegen Papst Gregor V (998) die untere Urkunde neben dem Kreuz und dem Christusmonogramm

Deed of Pope Leo I of 1501: In the circle Leo P (apa). The emblem on the right means Benevaldete. It has not been used by the pope since the 11th century. Pope Gregory V (998), however, appended his autograph signature. The lower deed near the cross and the monogram of Christ.

74

Körperbemalung, Bekleidung, ergänzende Attribute, kurz: Trachten orientieren über die Stellung, die ihr Träger in der Gemeinschaft einnimmt, den Rang, den er dort bekleidet. Sie weisen ihm seinen Stand zu. Ein bestimmter Stab in den Händen des Boten, das Schwert in der Hand des Appenzeller Stimmbürgers, der Hammer des Freimaurers — lauter Zeichen, die zu bestimmtem Tun legitimieren oder auffordern. Aber auch wer der Einzelne ist, wer er sein möchte, beides kündet sich an in der Art und Weise, wie er sich in seiner Tracht von seinen Mitmenschen unterscheidet. Mehr noch: Nimbus, Weltanschauung, Funktion ihres Trägers stecken weitgehend in seiner Tracht — so sehr, dass sie den Mann repräsentieren können. Achtung und Anerkennung werden denn auch häufiger dem Rock bezeugt als dem Mann in ihm.

Die richtige Cravatte ist wesentlicher als die richtige Gesinnung, die Tracht überstrahlt den Mann. Uniform und Amtstracht stimulieren sowohl den Beschauer wie den Träger. Den ersteren zur Anerkennung oder Ablehnung, die Träger zur Identifikation mit ihrem Stand. Sie sprechen den Spiesser in uns an, entbinden dadurch von persönlicher Stellungnahme und Verantwortlichkeit, die Person wird zur Persona. Ihren Zeichen und Auszeichnungen gilt denn auch der Beifall, nicht ihrer Intelligenz, Gesinnung, schöpferischen Leistung. Diese interessieren nur ausnahmsweise. Das Was und Wie des Aeusseren konstelliert also die mitmenschlichen Begegnungen. Es garantiert somit den Bestand der Gesellschaft. Die bedeutendste Predigt wird zur Farce, wenn der Priester seine Kanzel in Blue Jeans betritt. Der Polizist in der Badehose, der Hippy im Smoking, sie richten nichts aus, auch wenn ihr Handeln noch so sehr dem entspricht, was man von ihnen erwartet. Sie müssen sich erst ausweisen durch die Tracht. Solche Zeichen sind auf einen bestimmten Geltungsbereich beschränkt. Der Angehörige eines Bergstammes in Neu-Guinea, der das Flugzeug nackt betritt, ist für seine Stammesangehörigen ange-

Body paint, clothing, additional attributes — in brief, attire, indicate the position the wearer holds in the community, the rank he occupies. They assign him to his status. A certain rod in the hands of the messenger, the sword in the hand of the Appenzell voter, the hammer of the freemason — these are purely insignia which entitle the holder to exercise a certain office or call forth the appropriate response from others. But who the individual is, who he would like to be, can also be seen from the way in which he is distinguished from his fellow men by his apparel. But more than that: the aura, the philosophy, the function of the wearer largely reside in his attire — so much so, indeed, that they can stand for the man himself. The result is that esteem and recognition are more often accorded to the robes of office than to the man in them. The right tie is more important than the right views, the dress eclipses the man. Uniform and robes of office are a stimulus to both the onlooker and the wearer. In the former is induced sense of recognition or rejection, in the latter a sense of identification with his position. They appeal to the bourgeois in us and relieve us of the need for a personal attitude and personal responsibility; the person becomes the persona. It is their insignia and distinctions that elicit applause, not their intelligence, views, or creative achievement. These are of interest only by way of exception. It is the externalities which impose a pattern on interpersonal relations. In this way the stability of a society is ensured. The most profound sermon would become a farce if the preacher delivered it in blue jeans. A policeman in bathing trunks, the hippie in dinner dress would produce no response in us, however close their behaviour were to approximate to our expectations. They must first present their credentials: their attire. Such insignia have a limited area of validity. A member of a New Guinea mountain tribe who enters an aircraft stark naked is appropriately dressed in the eyes of his fellow tribesmen. But for the ethnocentrically minded tourist from Europe or America he is a

messen bekleidet. Dem Touristen aus Amerika oder Europa ist er dank ihrem ethnozentrischen Denken ein Skandal.

Wer er ist, welcher Gruppe innerhalb der Gesellschaft er angehört, dokumentiert der Mensch durch Kleidung, Schmuck, Zubehör. Der Hopi-Indianer ebenso wie der Mitteleuropäer. Er weist sich als gruppenzugehörig aus; zugleich versucht er aber auch durch persönliche Umgestaltung oder Besonderheiten die er sich umhängt, das Gewicht dieser Zugehörigkeit zu verringern, er strebt nämlich auch nach Originalität, nach Auszeichnung, danach, seine Persönlichkeit von der Gruppe zu differenzieren. Dass er auch dies in typischer Weise tut, dass er die Art seiner Besonderheiten dem Geschmack der Gruppe entsprechend wählt und deshalb innerhalb des schon von vornherein gesteckten Bereiches bleibt, sich nur mehr der einen oder andern Grenze nähert, ironisiert sein mühevolles Tun. Ambivalent wie er ist, strebt er zugleich nach Anerkennung seiner Einmaligkeit und Einzigartigkeit und nach dem bergenden Schoss der Gemeinschaft. Die Furcht vor der Einsamkeit hält ihn in seinen eigenen Reihen. So wechselt er höchstens seine Stellung innerhalb der eigenen Gruppe, verlässt sie aber nur ausnahmsweise. Er trägt ihre Bänder und Orden, ihren Schmuck und ihre Mode, ihre Amtstracht und ihre Uniform und hütet sich davor, diese um mehr als Haaresbreite zu variieren.

Sie gibt ihm die Impulse seines Handelns, diktiert weitgehend sein Ethos, macht ihn zu dem, der er nach seinem Stand zu sein hat. So bewahren die Zeichen der Gruppe ihn vor der Auseinandersetzung mit der eigenen Persönlichkeit. — Gleichzeitig schützen sie ihn vor der Exposition dort, wo er sie meidet: Die Trauerkleidung dispensiert von Anforderungen der Gesellschaft, sie isoliert den Trauernden, diktiert den Mitmenschen die richtige Kontaktart, mit andern Worten die Konvention orientiert sich an den Zeichen der Tracht. Dem Europäer, dessen Brust Orden, dem Papua, dessen Kalkspatel lange Kettchen zieren, begegnet der richtig Orientierte in ganz bestimmter Weise, so, wie er anders vorübergeht am Zelt des sudanesischen Kriegers, vor dem Tapferkeitszeichen stecken als an anderen Zelten. Wir können Zeichen akzeptieren oder ablehnen, ignorieren können wir sie nicht.

public scandal. Who a man is and the position he holds in society are documented by his clothing, adornments, accessories. The Central European no less than the Hopi Indian. He shows he is a member of a group; at the same time he seeks by modifications in his appearance or the wearing of distinctive items to play down the importance of this membership; that is, he also seeks originality and distinction so that his personality stands out against the group. The fact that he does this typically by selecting his items of distinction with an eye on the taste of the group and thus remaining within its boundaries, merely moving closer to the one or the other extreme, is an ironical comment on his efforts. Ambivalent as he is, he strives at one and the same time for uniqueness and exclusivity but also for the security to be found in the bosom of his society. Fear of solitariness confines him to his own ranks. Thus the most he manages to do is to change his position within his own group; rarely does he actually leave it. He wears its ribbons and orders, its adornments and its fashions, its robes of office and its uniforms, and takes good care not to vary from the norm by more than a hair's breadth.

The group is the mainspring of his actions, largely dictates his ethics, and makes him what he has to be according to his position. In this way the signs of the group save him from a confrontation with his own personality. — At the same time they protect him from exposure where he does not want it: mourning releases the mourner from the demands of society, it isolates the mourner, indicates to his fellow-beings the correct form of behaviour; in other words, convention takes its cue from the signs of attire. Properly tutored persons approach the European whose breast is covered with orders, or the Papuan whose lime dauber is hung with chains, in a very special way, just as they do not walk past the Sudanese warrior's tent with its emblems of bravery in the same way as they walk past other tents. We can accept signs or we can reject them, but we cannot ignore them.

Legitimität, Rang, Stand
Credentials, Rank, Status

S.M. ADOLF

78

Robe der englischen Lords, Schnurrbart, Gamsbart, Talar der Gelehrten, Couleurstudenten — ihr Anblick erweckt nicht ausschliesslich Gefühle der Hochachtung

Robe of an English lord, moustache, goatee beard, scholar's gown, student members of a uniformed club — their appearance evokes not only feelings of respect

79

Links oben: Paul Klee, «Zwei Männer, einander in höherer Stellung vermutend, begegnen sich.»

Links unten: Halsketten und Armringe als Rangabzeichen. Marmorrelief aus dem Palast in Kalchu, Aegypten. Rang und Stand sind oft nur dem Eingeweihten vertraut.

Karl der Grosse mit Schwert, Krone und Reichsapfel, sowie verschiedene Zeitgenossen aus unsern Tagen. Orden, Uniformen, Adelstitel — oft Ausdruck zweifelhafter Verdienste — erhöhen Rang und Stand, kosten den Verleiher wenig; dem so Geehrten verleihen sie den Hauch der Auserwähltheit.

Top left: Paul Klee, "Meeting of two men, each believing the other to be of higher status than himself."

Bottom left: Necklaces and bracelets as badges of rank, marble relief from the palace at Kalchu, Egypt. Often only initiates are versed in ranks and positions.

Charlemagne with sword, crown and orb, together with various contemporaries of our own day. Orders, uniforms, titles — often in return dubious services — enhance rank and standing, and cost the bestower little; they endue the recipients with an aura of belonging to the selected few.

80

Szepter und Schwert legitimieren und künden den Stand an:
Pedell als Repräsentant der Universität (oben links)
Appenzeller als Stimmbürger (unten links)
Oben Mitte usw.: Der Herzog von Braunschweig als Inhaber der
richterlichen Gewalt. Verschiedene Grössen, empfangen von Ver-
tretern einer Demokratie.
Sword and scepre authenticate and announce the office:
Beadle as representative of the university (top left)
Appenzeller as citizen elector (bottom left)
Top centre, etc: The Duke of Brunswick as the holder of judicial
power. Various distinguished personages received by the representa-
tives of a democracy.

81, 82

Hirtenstäbe (Spanien, Portugal), Bischofstab (Basel, Schweiz), Stu-
dentenspazierstock (Basel)
Kriegersymbole, vor dem Zelt in den Sand gesteckt (Westsudan,
Afrika) Zeichen des Standes, aber auch seiner besonderen Würde

Shepherd's crooks (Spain, Portugal), bishop's crozier (Basle, Switzerland), student's wahlking-stick (Basle).
Warrior symbols stuck in the sand in front of the tent (Western Su-
dan, Africa) as badges of rank and also symbols of special dignity.

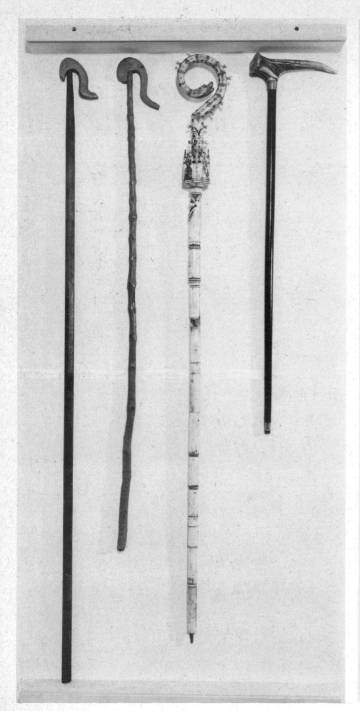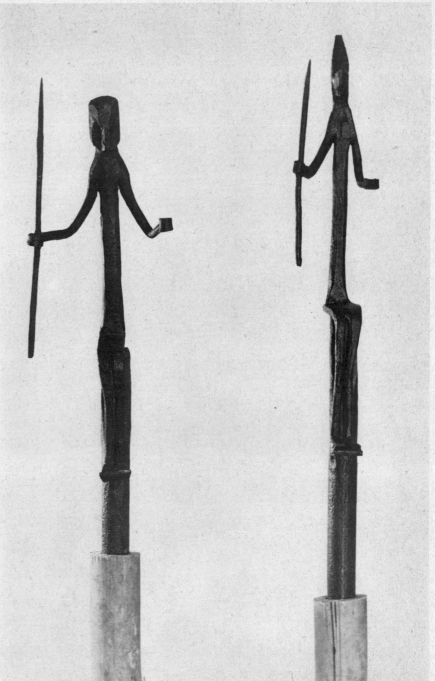

83, 84, 85, 86, 87, 88
Die Kopfbedeckung — oft ein Ueberrest der Tracht — drückt teils einfach den Stand aus, zum Teil symbolisiert der Hut die Persönlichkeit: Tell verweigert dem Gesslerhut den Gruss (oben rechts), Bünde, Vereinigungen, Vertreter der Staatsgewalt, Fastnachtsgesellschaften — stets sind die getragenen Zeichen bedeutungsvoll (links oben und Mitte)
Freimaurerschürzen, Turnerkranz, Goldenes Trikot des bekannten schweizerischen Radrennfahrers Ferdinand Kübler — durch sie wächst die Person über sich selbst hinaus in den Glanz ihres Standes (unten links und rechte Seite links oben und unten)

Headgear — often a relic of a costume — sometimes simply indicates position but sometimes the hat symbolizes the personality: Tell refused to salute Gessler's hat (top right); confederations, associations, representatives of the state, carnival societies — what they wear always has symbolic significance (top left and centre)
Freemason's aprons, gymnast's victory wreaths, golden jersey of the famous Swiss racing cyclist Ferdinand Kübler — through them the person trascends himself and becomes endued with the aura of his position (bottom left and right, page top left and bottom)

89
Erfolg bringt Rangerhöhung — nicht nur dem Künstler und dem Sportler

Success means a move up the ladder — and not only for artists and sportsmen

90, 91

Primitive Kulturen zeichnen auch die Tüchtigen im Kriege mit Trophäen aus, links: der Papua im Sepik-Distrikt (Neu-Guinea) versieht seinen Kalkspatel mit einer entsprechenden Anzahl geflochtener Kettchen, rechts: der Indianer im Osten und Südosten Nordamerikas trägt die Skalpe der von ihm Getöteten, des Europäers Brust zieren Orden (Deutschland, England)

Primitive culture bestow trophies on those who have acquitted themselves bravely in battle, left: the Papuan of the Sepik region (New Guinea) provides his lime dauber with an appropriate number of woven chains, right: the Indian in the East and South-East of North America wears the scalps of his victims in battle. The European breast is decorated with orders (Germany, England)

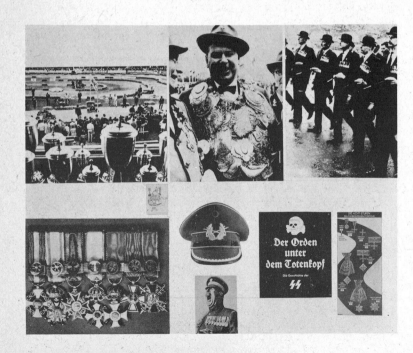

Eigentum, Anrecht

Der Neu-Irländer (Melanesien), der seine Hütte für längere Zeit verlässt, rammt quer von unten nach oben in den Eingang einen festen Stock zum Zeichen seiner Abwesenheit und um anderen den Eintritt zu verwehren. Der Strahler, der einen Kristallfund später auszubeuten gedenkt, lässt sein Werkzeug dabei liegen — der Bauer sichert durch seinen Hut das Holz, das er zusammengelesen hat, ein Feld, das nicht mehr betreten werden soll, einen Baum, dessen Früchte ihm gehören. Laubhaufen, die im Gemeindewald zusammengekehrt wurden, zeichnete ihr Besitzer mit einer Blechmarke. Solche Zeiten werden in der intakten Gemeinschaft respektiert, sie haben verbindlichen Charakter. In der urnerischen «Landsgemeinde Erkanntnis» von 1759 — erneuert im Landbuch von 1823 —, I, Art. 276, heisst es: «Jeder Landmann ist befugt auf Allmend Erz zu graben, und wenn einer an einer Stelle anfangt und Werkzeug liegen lasst soll ein Jahr und Tag niemand anders daselbst arbeiten mögen.» Unter Landmann wurde der Urner und Allmendgenössige verstanden. Für das Gebiet der Korporation Urseren wurde von der dortigen Talgemeinde in Punkt 12 ihres Erlasses gesagt: «Lässt ein Strahler bei Arbeitsunterbruch in der Kluft sein Werkzeug liegen, so bleibt diese für den laufenden Sommer für Dritte gesperrt. Vom selben Strahler darf gleichzeitig nur eine Kluft derart belegt werden.»*

Bedeutendstes Zeichen zur Sicherung von Eigentum und Anrecht war, solange nicht ganz allgemein geschrieben wurde, das Hauszeichen. Seine grösste Verbreitung fand es wohl auf den Tesseln (Kerbholz oder Scherben mit eingeschnittenen oder eingebrannten Zeichen), die in aller Welt in vielerlei Formen verwendet wurden. Tesseln mit dem Hauszeichen ihres Besitzers wurden häufig dem Kleinvieh umgehängt, Handwerker und Bauern rechneten auf Tesseln ab, aber auch die englische Staatskasse führte ihre Rechnungen mit Buch und Kerbholz fast unverändert seit dem 12. Jahrhundert bis in die Zwanzigerjahre des 19. Jahrhunderts!

Wir unterscheiden Zählstock oder einfaches Kerbholz, Doppelholz und mehrteilige Kerbhölzer.

Der Zählstock ist weit verbreitet: Händler, Wirte, Bäcker, Schmiede

* Mitgeteilt von Dr. h. c. Max Oechslin, Altdorf, Uri

Property, title

The inhabitant of New Ireland (Melanesia) leaving his hut for a long time rams a stout stake obliquely into the ground at the entrance as a sign that he is absent and to prevent others entering. The crystal prospector who is minded to exploit a find at a later date leaves his tool lying nearby, the farmer uses his hat to claim the wood he has collected or a tree whose fruit belongs to him. A heap of leaves swept together in the communal wood is tagged with a metal mark by the owner. Signs like these are respected in an intact society; they are binding on its members. In the "Landsgemeinde Erkanntnis" of Uri in 1759 — renewed in the Landbuch of 1823 I Art. 276 it is stated: "Every countryman is entitled to dig for ore on common land and if a man starts at one place and leaves his tool lying there no one else may work there for a year and a day." Countryman in this context means the men of Uri with a right of common. Under point 12 of its Decree the valley commune stipulated in respect of the area of the corporation of Urseren: "If a prospector leaves his tool lying in the gorge on stopping work, it shall be barred to third parties for the current summer. Only one gorge may be reserved by the same prospector at a time".*

Until most people could write, the most important sign for securing property and title was the house sign. Its most widespread use was probably on tags (tally sticks with incised or burnt signs) which were used all over the world in different forms. Tags bearing the house sign of the owner were often hung round the necks of small livestock. Artisans and farmers kept accounts with tally sticks and even the English exchequer kepts its accounts with book and tally almost unchanged from the 12th century down to the twenties of the 19th century! We make a distinction between the single tally, or counting stick, and the double tally.

The counting stick is very widely used. Dealers, innkeepers, bakers and smiths kept a tally for their customers just as an account is kept today. On one side the house sign was scored and on the other the account. What was "scored up" had to be paid. As a receipt for payment the stick was burnt or the notch was cut away, with the result that the stick became thinner but could be used again.

* Communication from Dr. h. c. Max Oechslin, Altdorf, Uri

hielten für ihre Kunden, wie heute ein Konto, ein Kerbholz. Auf der einen Seite war das Hauszeichen eingekerbt, auf der andern die Abrechnung. Was man «auf dem Kerbholz hatte», musste noch abbezahlt werden. Als Quittung für die Bezahlung wurde das Holz entweder verbrannt oder abgekerbt, d. h. der gekerbte Schnitt wurde abgeschnitten, wodurch die Tessel dünner wurde aber weiter verwendbar blieb.

Zählstöcke dienten aber nicht allein zur buchhalterischen Abrechnung. Beim Kugelspiel wurden die Ergebnisse je mit einem Schnitt eingekerbt, wobei jede Partei ihren eigenen Stock hatte. Milchertrag und Dienstleistung, Lohnguthaben und Spielschulden, alles wurde in den Zählstock gekerbt. Auf Kapitaltesseln buchte die Gemeinde die Schulden ihrer Gläubiger. Als Schuldschein übergab ihr der Schuldner eine Tessel mit seinem Hauszeichen, auf deren Rückseite die Schuld eingeschnitten war. Wässertesseln dienten in den trockenen Gebieten des Wallis als Ausweis für das Anrecht, die Wiesen während einer bestimmten Dauer zu bewässern. Diese Anrechte wurden gekauft.

Im Verkehr zwischen Gläubiger und Schuldner wurde meist das Doppelholz verwendet. Schulden, Verpflichtungen, geleistete Arbeiten wurden auf den beiden parallel aneinandergelegten Hölzern gleichzeitig eingekerbt. Ein Holz behielt die eine, das andere die andere Partei in Händen. Für jede Abzahlung wurden die Hölzer wieder zusammengelegt und die bezahlte Summe abgekerbt. Betrug war unmöglich. Später wurde auch Papier mit demselben Text zweimal beschrieben und in welligem Schnitt geteilt. Auch so ist der Inhalt, wie bei einer Durchschrift, eindeutig gesichert. «Als auch etwann diejenigen, so schreibens und lesens nicht zum besten berichtet, sich mit schlecht gemachten kerfhölzern oder zedel begnügen lassen: sover dann jemant zur Beweisung seiner schulden einich kerfholtz oder zetel im rechten fürbringen, darneben von dem andern theil die gegenzetel oder höltzer fürgezeigt und gleichstendig gefunden wurden, solle denselben glauben gegeben und darauff erkennt werden» sagt die Basler Gerichtsordnung noch 1719.

Mehrteilige Kerbhölzer registrierten auf einem einzigen «Hauptholz» die Anrechte vieler Personen. Auf dem «Alpscheit» wurde beispielsweise aufgezeichnet, wie gross das Anrecht jedes Bauern an der gemeinsamen Weide war. Diese Anrechte mussten bezahlt werden. Quittung war die Bei- oder Einlagetessel. Eine solche Beitessel ist also kein Schuldschein sondern ein Rechtsbrief, der ein Nutzniessungsrecht an der Weide darstellt. Die Werte sind beträchtlich. Auf

Tally sticks, however, were not used for bookkeeping purposes alone. In ball games the results were notched up, each side having its own stick. In English one still speaks of keeping the "score". Milk yields and services, outstanding wages, gambling, debts — everything was kept on a tally. The commune used to book the debts of its creditors on capital tallies. As an acknowledgment of a debt, the debtor would hand over a tally bearing his house sign with the debt incised on the other side. Water tallies were used in the dry areas of the Valais as proof of the right to water the meadows for a certain time. These rights could be sold.

In transactions between creditor and debtor the double tally was usually used. Debts, obligations, services rendered were scored at the same time on the two sticks placed side by side. One stick was then retained by each party. Each time a payment was made the two sticks were placed together again and the sum paid was scored off. It was impossible to practise fraud. Later an identical text was written twice on a sheet of paper and the two texts were then cut into separate pieces by a wavy line. In this way a record of the contents was kept like a modern carbon copy. "As those who cannot read or write well make do with badly made tallies, so if anyone produces a tally in law as proof of his debts and the other part of the tally is produced by the other party and found to be right, then the debt shall be recognized" said the Code of Court Procedure in Basle as late as 1719.

Multiple tally sticks recorded on a single "master tally" the titles of many people. On the "Alpscheit", for instance, was registered how much of the common pasture a herdsman had a right to graze his cattle on. These rights had to be paid for. The receipt took the form of such a tally stick, which was not a recognisance of debt but a certificate of title to pasturage. The values were considerable. The title to graze one cow on a good alpine pasture was worth about Fr. 1000.—. The tally sticks were put away and carefully preserved, usually in attractively decorated wooden boxes.

Into the category of multiple tallies must be placed the "book". The word is derived from bóc, béce (beech) from the timber of which writing tablets were originally made. These tablets were strung together to make "boken" (Middle English) = writing tablets, and the sense was subsequently extended to the singular. Until a short time ago the herdsman in the Grisons and the Münstertal used to record the milk yield in such an old wooden book.

It is hard to exaggerate the extent to which tally sticks and the like were used. They were universal and have left many traces in every-

guter Alp stellte 1 Kuhrecht ungefähr einen Wert von Fr. 1000.— dar. Die Beitesseln wurden denn auch — in meist hübsch verzierten kleinen Holzkästchen — sorgfältig aufbewahrt.

Zu den mehrteiligen Kerbhölzern gehört schliesslich auch das «Buch». Es trägt seinen Namen nach der Buche, aus der ursprünglich die Holztafeln zum bekerben oder beschreiben hergestellt wurden. Diese Holztafeln wurden durch Schnüre zusammengehalten. Ein solches Bündel hiess dann «die Bücher», gotisch «bokos». Noch mittelhochdeutsch spricht man nicht vom Lesen in einem Buch sondern «lesen an den Buochen». Erst später werden die buochen zum «Buch». Noch bis vor kurzem schrieb der Senn in Graubünden und im Münstertal in ein solches altes Holzbuch die abgemolkene Milch ein (Menninger).

Die Verbreitung der Kerbhölzer oder analoger Erscheinungen kann man kaum übertreiben. Sie war universell und drang auch im übertragenen Sinn tief in die Vorstellungswelt des Menschen ein. Martin Luther weist auf alte Briefschulden mit den Worten: «ich musz einmal das kerbholz los schneiden, denn ich lange nicht geantwortet habe!» Man trank «an ein Kerbholz» (auf Rechnung); «losleben aufs Kerbholz» war gebräuchlich für eine unbekümmerte Schuldenwirtschaft, man sündigte auch «aufs kerbholz los» ... «da bricht man ein stündlein ab, geht zum beichtstuhl und wird fromm, darnach frisch fort gesündigt auf einen neuen kerbstock.»

Die Zahlschrift, die wir auf diesen alten Tesseln finden, war dabei häufig eine besondere, in begrenztem Bereich lesbare Bauernschrift. Wollte man verschiedene Inhalte auf dem gleichen Kerbholz eintragen, dann verwendete man einerseits für jede Art eine andere der vier Seiten des Holzes, dazu aber auch noch anderseits verschiedene Schreibweisen der Ziffern. Neben den Hauszeichen waren auch Holzzeichen, mit denen der Holzbesitz markiert wurde, weit verbreitet. Sie wurden mit der Axt eingehauen und waren darum besonders einfach. Heute brennt man Zeichen — meist Initialen oder Ziffern — ein oder beschriftet die Stämme mit Kreide. Gmür erzählt aus der Innerschweiz eine rührende Geschichte, die die Verbundenheit des Menschen mit seinem Zeichen veranschaulicht: «Zirka 1820 befand sich ein Schweizerregiment unter General Aufdermauer in holländischen Diensten am Unterrhein. Ein Schwyzer Soldat namens Gwerder, der heimwehkrank war, musste am Rheine Schildwache stehen. Da erblickte er zu seinen Füssen am Stromufer ein Holzstück, welches das Holzzeichen seiner Familie trug. Dies erschütterte ihn so, dass er nach kurzer Zeit starb.»

day speech. We say we "clear or pay a score" in the sense of requiting a debt or avenging an injury. In many sports the number of points gained by a player or side is called the "score" and in football we "score" a goal and in cricket we "score" a run. We say that two things tally when they fit together perfectly and we still "keep a tally" in the sense of recording items for future reference.

The numerals on these old tallies frequently represented special peasant system of writing which we can read only to a limited extent. If it was desired to record various types of information on a stick, each of the four sides was used for a different set of facts, and they were also recorded in different styles of writing. Apart from house signs, blazes were used to mark the ownership of timber. These were cut with an axe and were therefore particularly simple. Today signs — usually initial or numbers — are burnt into the trunks or they are marked with chalk. Gmür tells a touching story from Central Switzerland illustrating the close ties between man and his signs: "About 1820 a Swiss regiment was in the service of the Dutch on the Lower Rhine under General Aufdermauer. A soldier from Schwyz named Gwerder, who was home-sick, had to keep watch on the Rhine. There he saw on the bank at his feet a wooden stick bearing the house sign of his family. This was such a shock to him that he died shortly afterwards."

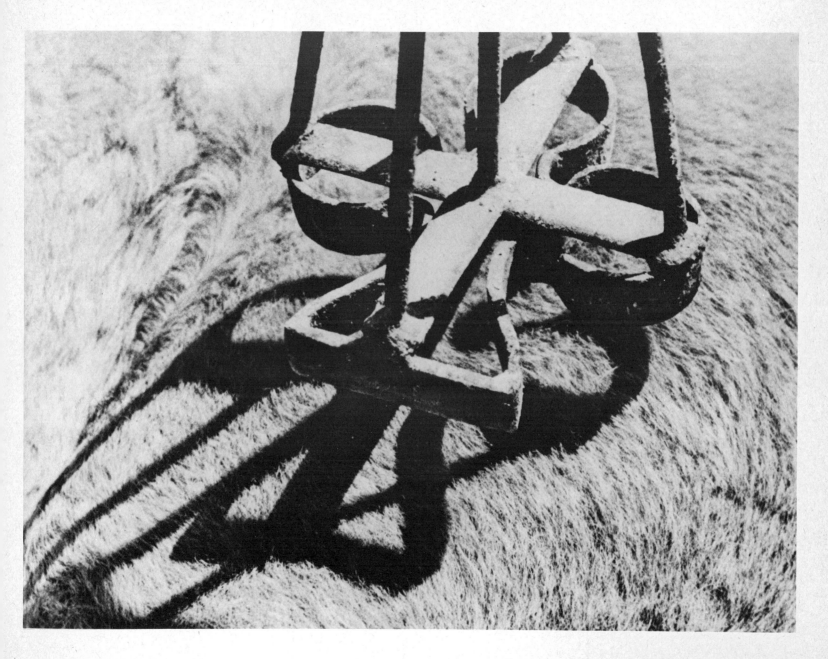

93
Zeichen regeln Besitzverhältnisse und Verpflichtungen.
Ohrmarkierungen für Kleinvieh (links), Hauszeichen (rechts oben),
Verpflichtungen zur Gemeindearbeit in der entsprechenden Reihen-
folge auf Dorfschulzenstäben (Finnland) durch die Hauszeichen
festgehalten (oben Mitte). Als Grenzmarkierung lässt der Mäher
einer Magerwiese im Schanfigg den «Hund» stehen (unten Mitte)
Signs decide ownership and duties
Earmarks for small livestak (left), house signs (top right), communal
duties marked in the appropriate order on the village mayor's staff
(Finland) by means of house signs (top centre). To mark a bound-
ary a mower leaves a swathe of grass standing in a meadow in the
Schanfigg (bottom centre).

94
Zeichnen des Grossviehs mit Brandstempeln (Camargue, Frankreich)
ist eher Schutz vor Diebstahl. Der Besitzer kennt seine Tiere. Das
Kleinvieh wird hingegen auch gezeichnet, damit der Besitzer seine
Tiere in der Herde wiedererkennt. Rötelmarkierung und Ohrmarkie-
rung sind bei allen Viehhaltern üblich (unten Mitte zum Beispiel
Markierungen aus Afrika)

Branding heavy livestock (Camargue, France) mainly as a safeguard
against theft. The owner knows his animals. But small animals are
also branded to enable the owner to pick out his animals in the herd.
Ruddling and earmarking are customary among all stockbreeders
(bottom centre, exampels from Africa)

Ohrzeichen aus dem Lötschental (Wallis).
Figuren und ihre Benennung. Vgl. S. 48.

Figuren der Ohrzeichen

Kopfseite
Im linken Ohr ein Giebel,
im rechten Ohr ein Loch
Giebel   Loch
Halsseite

Gespalten   Linkes Ohr gespalten, rechtes Ohr   Geschnitzt
             kopfhalb geschnitzt

Jochmal
Im linken Ohr kopfhalb ein Jochmal, im rechten Ohr
leibhalb ein Leghick   Leghick

Geschnitzt   Linkes Ohr kopfhalb geschnitzt, im rechten   Giebel
              Ohr ein Giebel

Stotzhick   Kopfseite
             Im linken Ohr kopfhalb ein Stotzhick,
             im rechten Ohr kopfhalb ein Viertel   Viertel
             Halsseite

Linkes Ohr   Rechtes Ohr
Linkes Ohr vor ab und dahinter ein Loch

Brandmuster und Ohrenschnitt.

1. Rind mit Brandmusterung (s. S. 326), Banna. – 2.–4. Ohren-
schnitt-Marken der Tsomako (s. S. 366). 2. für das Vieh der Heiratsklasse blinnas. 3. für das Vieh der Heiratsklasse galabu:
a) Klan regoka, b) Klane eloko, c) Klane boritto, schile, ollo und
gobo. 4. Ohrenschnitt gegen Krankheit (bei allen Klanen üblich).

45

95
Brandstempel weisen oft anstelle des Hauszeichens die Initialen des Besitzers auf (Kanton Uri, Schweiz).

Instead of the house mark brands often consist of the initials of the owner (Canton Uri, Switzerland)

96
Brotstempel aus Spanien, Provinz Zamora.

Bread stamp from Spain, Province of Zamora

97

Brotstempel aus Griechenland (rechts oben), Spanien (Mitte), Italien und der Schweiz. Die Stempel sind zugleich Zier und Markierung, die das eigene Brot von dem des Nachbarn unterscheiden lässt, wenn im Gemeindebackofen gebacken wird.

Bread stamps from Greece (top right), Spain (centre), Italy and Switzerland. The stamps are both a decoration and a mark which enable one's own loaves to be distinguished from those of neighbours in the communal oven.

100 →

Was bezahlt ist, wird abgeschnitten: das hat man nicht mehr «auf dem Kerbholz»
What has been paid for is cut off the tally: i. e. the score has been paid.

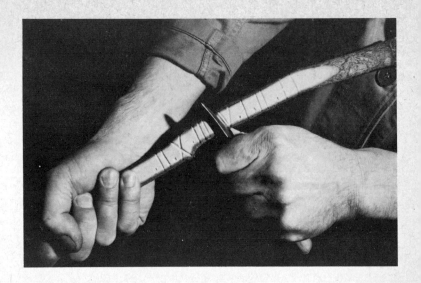

← 98, 99

«Stiala de Latg» (15 bis 20 Zentimeter lang) Abrechnungshölzer über verwertete Milch, wie sie bis ins beginnende 20. Jahrhundert im Tavetsch (Kanton Graubünden, Schweiz) üblich waren. Links: Unter jedem Hauszeichen steht das Gewicht der Milch, das der Besitzer der hier abgebildeten Stiala von den übrigen Alpgenossen an einem Tag entliehen und zu Käse verarbeitet hat. Jeder Alpgenosse besitzt eine solche Stiala. An einem bestimmten Tag kommen sie zusammen und rechnen ab; was bezahlt ist, wird gleichzeitig abgekerbt.
Die rechts abgebildete Stiala zeigt eine Abkerbung unter einem Hauszeichen.

"Stiela de Latg" tally sticks, 6 to 8 inches long, used to record milk supplies such as were used at Tavetsch (Canton of Grisons, Switzerland) down to the beginning of the 20th century. Left: under each house sign stands the weight of the milk which the owner of the "stiala" shown here borrowed from the other alpine herdsmen on one day to make cheese. Each herdsmen has such a "stiala". On a set day they come together and settle accounts; what has been paid is scored off. The stiala on the right shows a notch scored off under a house sign.

101, 102, 103

Alpscheit aus dem Lötschental (ca. 80 bis 100 cm lang). Das Alpscheit verzeichnet die Anrechte jedes Bauern auf die Weide der Ortsgemeinde. An den Kanten werden kleine Stücke herausgeschnitten. Die Bauern erhalten diese Bei- oder Einlegetesseln als Ausweis für ihr Weiderecht, denn auf ihnen wird, wenn sie in das Alpscheit eingelegt sind, die Anzahl der erworbenen Kuhrechte gekerbt. Da dies gleichzeitig erfolgt (wie auf Abbildung 102 zu sehen ist), ist ein Betrug ausgeschlossen. Ein langer Schnitt entspricht einem ganzen, ein kurzer einem halben Kuhrecht. Diese Beitesseln entsprechen etwa Aktien. Sie werden sorgfältig aufbewahrt, häufig in schön geschnitzten Kästchen (siehe Abbildung 103)

Alpine tally from the Lötschental (30 to 40 in. in length). The alpine tally records the title of each farmer to communal grazing. Tiny pieces are cut out of the edges. The herdsmen receive these tally pieces (Beitesseln) as evidence of their grazing right. When they are reinserted in the alpine tally the number of cows they have acquired the right to graze is scored. Both pieces are scored at the same time (see Fig. 102) so that fraud is impossible. A long cut indicates a whole right and a short one half a right. These tally pieces are rather like shares. They are carefully preserved, often in beautifully carved boxes (see Fig. 103)

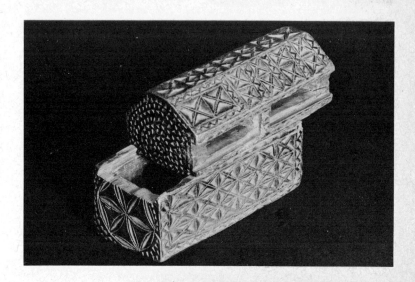

104, 105
Kapitaltesseln (Visperterminen, Kanton Wallis, Schweiz). Die Gemeinde leiht Geld aus. Als Schuldschein bewahrt sie eine Tessel auf, auf der die Höhe der Summe unter dem Hauszeichen des Schuldners eingekerbt ist. Zahlt er ab, wird die entsprechende Summe weggeschnitten (siehe Abbildung 105)

Capital tally pieces (Visperterminen, Canton Valais, Switzerland). The commune lends money. As a record of the debt it retains a tally piece on which the amount of the sum is notched below the house sign of the debtor. If he pays back in instalments, the appropriate sum is scored off (see Fig. 105).

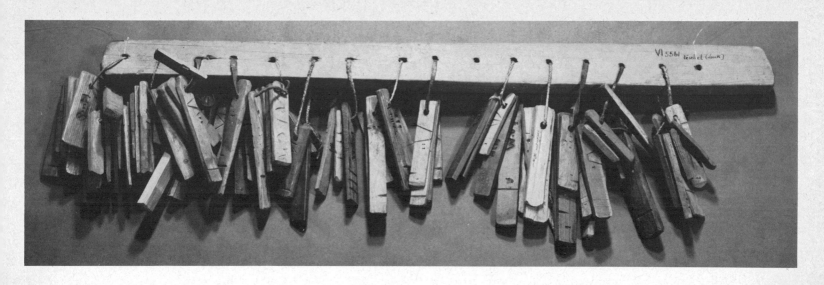

Wassertesseln, die noch 1913 in Feschel (Wallis, Schweiz) gebraucht wurden. Wasser war in vielen Walliserdörfern rar. In langen Leitungen aus Holz (Tücheln) wurde es von den Gletscherbächen zu den Feldern geleitet. Jeder Bauer besass eine Tessel, auf der unter seinem Hauszeichen die Anzahl der Stunden notiert war, während denen er seine Felder bewässern durfte. Der Tag im halbmonatlichen Turnus und die Reihenfolge waren durch die Anordnung auf dem Hauptbrett festgehalten. Wer am gleichen Tag wässerte, fand seine Tessel im gleichen Bündel. Die Tesseln verwahrte der Korporationsvogt oder die Gemeindeverwaltung.

Water tally pieces which were still in use in Feschel (Valais, Switzerland) as late as 1913. Water was scarce in many Valais villages. It was carried in long wooden conduits from the glacier streams to the fields. Each farmer had a tally piece on which was marked under his house sign the number of hours during which he could water his fields. The day in a fortnightly rota and the order was recorded by the way the marks were set ant on the master tally. Those watering on the same day found their tally pieces in the same bundle. The tally pieces were kept by the corporation governor or the communal administration.

107
Kerbzeichen, die die Bewässerungsdauer angeben.

Notches indicating the length of watering time.

Wassertessel

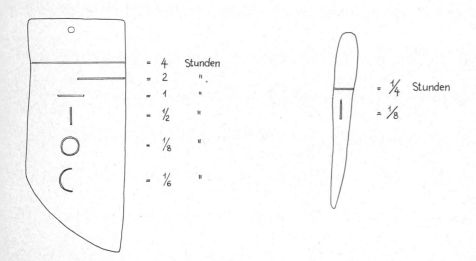

= 4 Stunden
= 2 "
= 1 "
= ½ "
= ⅛ "
= ⅙ "

= ¼ Stunden
= ⅛

108, 109, 110

Zur Korrektur einer Grenzlinie, die durch einen schiefstehenden Grenzstein verschoben worden ist — hier die Kantonsgrenze zwischen Basel-Stadt und Baselland — genügt es nicht, den Stein wieder aufzurichten. Unter dem Grenzstein liegen die Grenzzeugen, die den genauen Verlauf der Grenzlinie anzeigen. Auch sie haben sich verschoben. Ein neuer Zeuge (Bild rechts unten) markiert die genaue Position des Scheitelpunktes, zugleich kündet sich späteren Generationen die vollzogene Korrektur an.

108, 109, 110

To rectify a, boundary which has come out of line because of a skew boundary stone — the cantonal boundary between Basle Town and Basle Country — it is not enough to set the stone straight again. Under the stone are the boundary markers which show the precise line of the boundary. They have also come out of position. A new marker (picture bottom right) pinpoints the exact position of the summit and also records for future generations the correction that has been made.

111

Grenzzeugen: links, GG Gemeinde Gächlingen (Schaffhausen), Mitte, Rheinfelden, rechts, Neuhengst.

Boundary markers: left, GG Gemeinde Gächlingen (Schaffhausen), centre, Rheinfelden, right, Neuhengst.

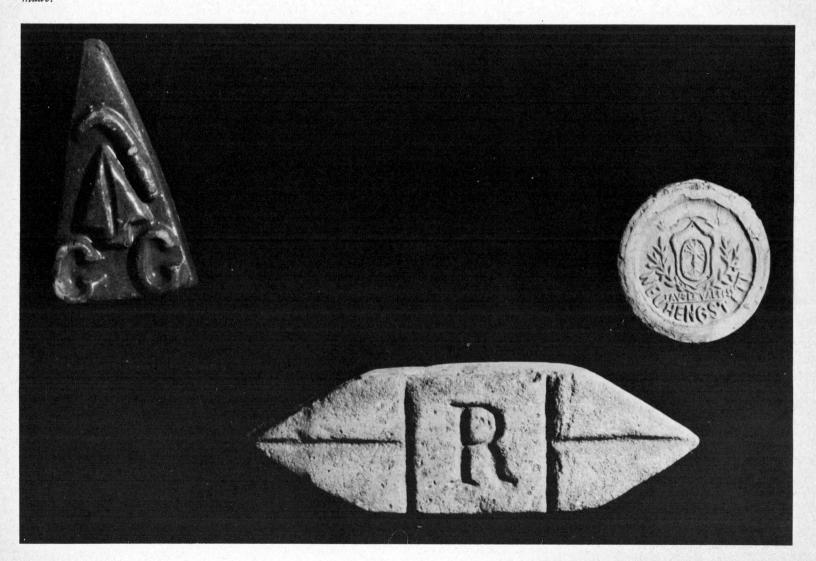

Dem Gedächtnis misstraut der Mensch mit Recht. Er stützt es denn von jeher durch die verschiedenartigsten Hilfsmittel. Nicht alle sind so primitiv wie der Knoten im Taschentuch, der uns zwar erinnert, dass wir uns erinnern sollen, darüber hinaus aber sich ausschweigt.

Wir helfen uns heute mit der Schrift; was aufgeschrieben ist, hat Bestand. An ihrer Stelle stehen häufig Zeichen aller Art. Sie halten fest, in welcher Höhe, Anzahl, Reihenfolge Ereignisse geschahen, respektiv zu geschehen haben. Die Einheiten können einfache Knoten sein, in eine Lianenschnur geknüpft, Stäbchen, in eine Palmblattrippe gesteckt, Kerben in einen Stecken gekerbt. Der Grundgedanke ist derselbe. Das zu Merkende wird Einheit für Einheit aufgeschrieben, nicht in einer Ziffer oder Zahl zusammengefasst, es wird gereiht. Derartige Gedächtnishilfen waren vermutlich in ähnlicher Weise in allen Kulturen gebräuchlich.

Als der Perserkönig Darius seine Leute verliess, übergab er seinem Hauptmann eine Schnur mit 60 Knoten. Alle Tage war einer aufzulösen. Waren alle aufgelöst und er nicht zurück, dann sollten seine Leute weiterziehen und nicht länger auf ihn warten. Ganz Analoges erfahren wir von Gumilla (nach Nordenskiöld), der von den Guyanaindianern berichtet, dass sie, um eine Verabredung zu fixieren, jeder in eine Schnur die den Tagen entsprechende Anzahl von Knoten knüpfte. Jeden Tag lösten sie einen Knoten auf. So waren beide sicher, einander am vereinbarten Tag zu treffen.

Ein ähnlicher Gedanke hat sich mit dem Adventskalender erhalten, der den sehnlich erwarteten Weihnachtstag durch ein Tag-für-Tag erfolgendes Oeffnen der Fensterchen heranholt. Die zeitliche Orientierung über Tage, Wochen, Monate ist ein altes, verbreitetes Bedürfnis. Nicht nur Hochkulturen verwenden Kalender. Anstatt den Kalenderzettel täglich abzureissen oder umzulegen, rückt der Indonesier eine Schnur jeweils um ein Loch vor oder er steckt ein Stäbchen in das nächstfolgende Loch. Dass auch beim Rechnen Gedächtnishilfen notwendig sind, leuchtet ein. Das Kopfzerbrechen unterstützen noch

Man is justifiably mistrustful of his memory, and from time immemorial he has used a variety of means to assist this wayward faculty. Not all of them are so primitive as the knot in the handkerchief which prompts us to remember but does not tell us what.

Today we have recourse to writing; what is written down is permanent. But in its place signs of all kinds are also frequently used. They record amount and number, and in what sequence events took place or are due to take place. The units can be simple knots tied for instance in a liana cord, little sticks stuck into a palm-leaf rib, or notches in a piece of wood. The basic idea is the same. What has to be remembered is written up unit for unit; it is not summarized but recorded itemwise. No doubt mnemonics of this kind have been commonly used in every culture.

When the Persian king Darius left soliders to guard a bridge, he gave the captain a thong with 60 knots. One knot was to be undone each day. If all the knots had been undone and Darius hat not returned, then the guard was to break down the bridge and go away. Similarly Gumilla (according to Nordenskiöld) reports that two Guyana Indians, wishing to fix an appointment, each ties in a thong a number of knots representing days. Each day they untie a knot. In this way the two parties are sure of meeting on the agreed day.

A similar idea is enshrined in the advent calendar in which one window is opened for each day until the longed-for Christmas Day has arrived. Keeping a check on days, weeks, and months is an old and widespread need. Not only advanced civilizations use calendars. Instead of tearing off or turning over the calendar every day, the Indonesian moves a cord forward one hole or inserts a little stick into the next hole. Mnemonics are also needed in arithmetic. Even today the abacus is used for mental arithmetic, along with counting stones and counting rails. Intermediate results could also be remembered on the fingers, at least if one had maskered the old finger symbolism. This technique was so widespread among educated people in the

heute Rechenbretter, Rechensteine, Zählrahmen. Auch mit den Fingern konnten Zwischenergebnisse festgehalten werden, sofern man zu den wenigen Gebildeten zählte, die die Fingerschrift beherrschten. Diese Technik war im Bereich der römischen Kultur unter den Gebildeten so weit verbreitet, so selbstverständlich, dass sie lange bloss mündlich überliefert wurde. Der englische Benediktinermönch Beda (gestorben 735) hielt sie als erster fest.

Auch Kerben, Striche, Perlen, Steine usw. erleichterten das Zählen und Merken. Die Gebetsschnüre der Tibeter, der Rosenkranz gehören ebenso hierher wie der «Christkindbeiler» (Innerschweiz), ein früher gebräuchliches Zählholz oder kleines Heftlein, auf denen das fromme Kind die gebeteten Vaterunser einkerbte oder mit Strichen eintrug, um sie am 6. Dezember dem Nikolaus vorzuweisen. Noch heute werden beim Bocciaspiel (Italien, Tessin) manchmal die Punkte der Parteien nicht in Ziffern markiert, sondern es zählt jede Partei ihre Punktgewinne mit einem von Loch zu Loch gesteckten Holzstift. Auf den Riukiu-Inseln (Japan) dienten den Arbeitern Zöpfe zur Lohnabrechnung. Die Fransen zählten geleistete Arbeitseinheiten. Ganz entsprechend schnitt man früher beim Weinlesen beispielsweise für jede getragene Bütte eine Kerbe, deren Anzahl dann als Abrechnungsbasis diente.

Nicht alle Methoden waren aber derart einfach. Die Inka orientierten sich über alles, was sie für wissenswert erachteten an einem komplizierten System von Knotenschnüren, den Quipu. Mittels dieser komplexen Knotenschrift, bei der die Farbe der Schnüre, die Art der Knoten, ihre Lage auf der Schnur alle nötigen Angaben zu machen erlaubte, hielten die Inka nicht bloss Daten fest, sondern auch geschichtliche Ereignisse, Buchführung usw.

In jedem Dorf sassen 4 «Quipu-Warte», die Camayocs, die die amtlichen Schnüre knüpften und an die Regierung in Cuzco lieferten. Knotenschnüre dienten auch als Schrift. Die Gelehrten, die Ayutas, bildeten einen gehobenen Stand. Sie vermochten aufgrund der Knotenzahlen und ihrer Stellung auf den einzelnen Schnüren die Stammesgeschichte zu memorieren. Noch heute kennen die peruanischen und bolivianischen Indianer eine «Quimpu» genannte Knotenschnur. In analoger Weise bedienten sich auch die Chinesen solcher Schnüre. Ebenso komplex sind die Aufzeichnungen in den sogenannten «Dorfbüchern» der mexikanischen Hochkulturvölker. Der berühmte Lienzo Vischer (im Besitz des Museums für Völkerkunde Basel) stammt aus der Siedlung Tecamochalco. Er ist aus sechs Hirschfellen zusammengesetzt, auf denen gezeichnet und gemalt die Dorfgeschichte der

Roman Empire, and taken so much for granted, that it was passed down simply by word of mouth and no one wrote it dawn before the English Benedictine monk Bede (died 735).

Notches, marks, pearls, stones, etc. also eased the task of counting and remembering. The prayer thong of the Tibetans and the rosary are further examples, as is the "Christkindbeiler" (Central Switzerland), which was a tally or little book in which the devant child marked or noted the number of times it had said the Lord's Prayer so as to be able to show this evidence of its piety to St.Nicholas on his Christmas visit (December 6th). Today in the game of boccia (Italy, Ticino) the points scored by the two sides are not written up but recorded by moving a peg from hole to hole. In the Riukiu Islands (Japan) plaits were used by workmen for reckoning their wages. The loose ends were used to count the units of work performed. Similarly it was once the practice in grape-picking, to make a notch, say for every basked carried, and these were then totted up to calculate payment.

Not all methods were of comparable simplicity. The Incas used a complicated system of knotted cords, the quipu, for recording whatever they held to be worth remembering. By means of this complicated knot symbolism, in which the colour of the knots, their type, and their position on the cord represented all the necessary data, the Incas recorded not only dates but also historical events, accounts, etc. In each village there sat four "quipu keepers", the camayacos, who tied the official knots and sent them to the government in Cuzco. Knotted cords also served as writing. The scholars, the ayutas, formed an elect class. By referring to the number of knots and their position on the individual cords they were able to memorize the history of the tribe. Even today the Peruvian and Bolivian Indians are familiar with a knotted cord called a "quimpu". The Chinese also used similar cords. No less complex are the records kept in the so-called "village books" of the Mexican civilizations. The famous Lienzo Vischer (in the Basle Ethnological Museum) comes from the Tecamochalco settlement. It is made up of six deer skins on which the village history from 1541 to 1557 is drawn and painted. It also contains topographical details of the area. Hills are represented by green patches, roads by several lines of footprints, and paths by a single line. The genealogy of the leading families is also recorded, along with that of the gods, and it also serves as a land register.

Even where writing systems are available, signs, often combined with primitive drawings, still serve as mnemonic devices. Anyone who is not a good hand at writing makes notes of what is important to him

Jahre 1541—1557 erzählt wird. Er enthält zudem die Darstellung der topographischen Verhältnisse des Ortes. Hügel sind als grüne Flächen, Strassen durch mehrere Reihen von Fussabdrücken, Wege durch eine einzige Reihe solcher Abdrücke kenntlich gemacht. Es wird aber auch noch auf demselben Stück die Genealogie der vornehmen Geschlechter und der Götter erzählt, ausserdem diente es als Katasterplan.

Auch dann noch, wenn Schriftsysteme vorhanden, bewahren Zeichen, oft in Verbindung mit primitiven Zeichnungen, lange ihre Funktion als Gedächtnishilfen. Wer ungeschickt ist im Schreiben, notiert sich auf seine Weise, was er sich merken möchte. In einer Art Zeichen-Kurzschrift führte der Bauer häufig privat Buch. Seine Ziffern und Zahlen besassen oft bloss regionale Bedeutung, sie orientierten sich oft mehr oder weniger nah an den römischen Zahlen. Die Bezeichnung der Tage folgten den Festtagen der Heiligen, die in amüsanten Zeichnungen wiedergegeben wurden.

in his own way. The peasant often kept a private book in a kind of sign shorthand. His numerals and figures were often of purely regional significance and were frequently conceived on a close analogy with roman numerals. Days were designated according to the feast days of the saints, which were portrayed in amusing drawings.

Gedächtnishilfe
Jogs to the Memory

Um Mengen, Leistungen, Zeiteinheiten zu vermerken, wurden in der ganzen Welt nicht bloss Kerben in vielerlei Material geschnitten und geritzt, auch Knoten sind wirksame Gedächtnishilfen. Zählschnüre von Timor (Indonesien), den Neuen Hebriden und den Salomonen (Melanesien)

To record quantities, work, units of time notches have been cut or scored in many kinds of material all over the world. Knots are also useful aids. Counting cords from Timor (Indonesia), the New Hebrides and the Solomons (Melanesia)

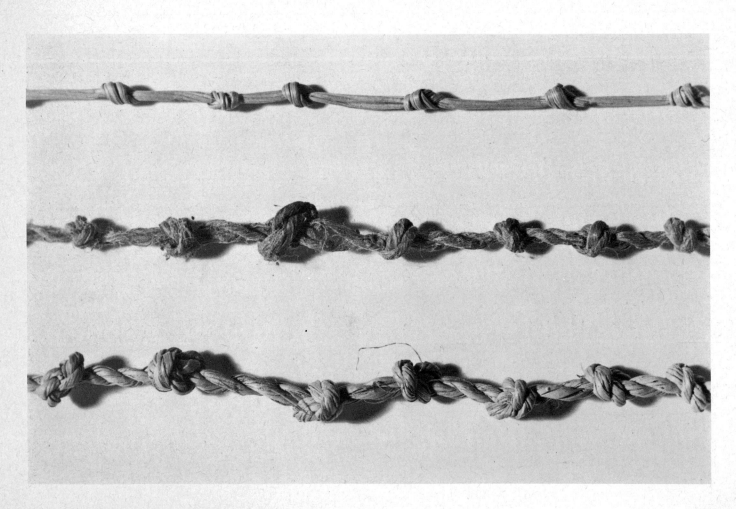

114

Mit Knotenschnüren (*Quipu* bei den Inka, *Quimpu* bei den bolivianischen und peruanischen Indianern) wurde abgerechnet, berichtet, gezählt. Die Stellung des Knotens gibt die Stellenzahl an, seine Art die Menge, verschiedene Färbungen weisen auf die verschiedenen Objekte, die gezählt wurden — beispielsweise Ziegen, Lamas, Schafe. Knotenschnüre dienten den Inkas auch als Unterlage beim Erzählen der Stammesgeschichte.

Knotted cords (*Quipu* of the Incas, *quimpu* of the Bolivian and Peruvian Indians) were used to keep accounts, count, and report. The location of the knot indicates the number position, the type of knot the quantity, and the various colours indicate the objects counted, e. g. goats, lamas, sheep. Counting cords were also used by the Incas to refer to while relating tribal history.

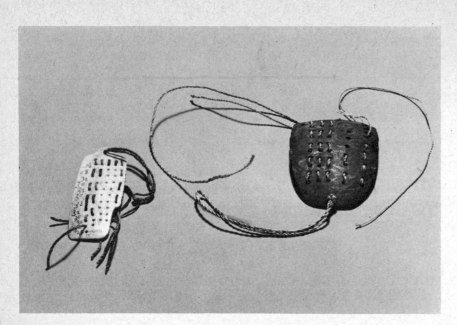

115

Kalender von Timor, Indonesien, aus Knochen und Holz (5—7 cm hoch). Tag, Wochentag, Monat werden durch die Stellung der Schnur bezeichnet. Sie rückt pro Tag um ein Loch weiter. Die Daten sind: Donnerstag, 30. 9. (oben rechts), Sonntag, 9. 11. (oben links), die oberste Reihe wird für Tag und Wochentag nicht mitgezählt.

Calendar from Timor, Indonesia, of bone and wood (2 to 3 in. high) Day, week and month are indicated by the position of the string. Each day it is advanced one hole. The dates are Thursday, 30. 9 (top right), Sunday, 9. 11 (top left), the top-most row is not counted for day and weekday.

116

Auf dem grössern Kalender (ca. 20 cm breit) fehlt der Stift für den Wochentag. Das fixierte Datum: 9. Februar.

On the large calendar (about 8 in. wide) the peg for the week-day is missing. The fixed date: February 9.

117

Mit einer kleinen Kerbe oder einem Strich auf dem «Christ-kindli-Beiler» genannten Kerbholz oder im Büchlein wurden von den frommen Kindern die gebeteten Vaterunser gezählt. Diese Abrechnung übergaben sie dem St. Nikolaus (zum Beispiel Innerschweiz). Der Ring mit der Zähnung, Rosenkranz genannt, dient ebenfalls zum Merken der gesprochenen Vaterunser.

On the tally known as the "Christkindli-Beiler", or in a little book, pious children used to score the number of times they had repeated the Lord's Prayer for presentation (for example, in Central Switzerland) to St. Nicholas on his Christmas visit. The ring with the indentation, a rosary, is also used to record the number of prayers said.

118

Ein Zählholz (Blattrippe einer Sagopalme ca. 80 cm lang) für die beim Frauenkauf bezahlten Schweine. Die Stäbchen, alle aus dem gleichen Ast geschnitten, zählten die Einheiten. Im Falle einer Scheidung diente das Holz als Beleg. Es wurde sorgfältig aufbewahrt (Admiralitätsinseln, Melanesien).

A tally (leaf ribs of the sago palm) for counting pigs paid on the purchase of a wife. The sticks, all cut from the same branch, were used to count the units. In the event of a divorce, the tally served as a receipt. It was put away and carefully preserved (Admiralty Islands, Melanesia)

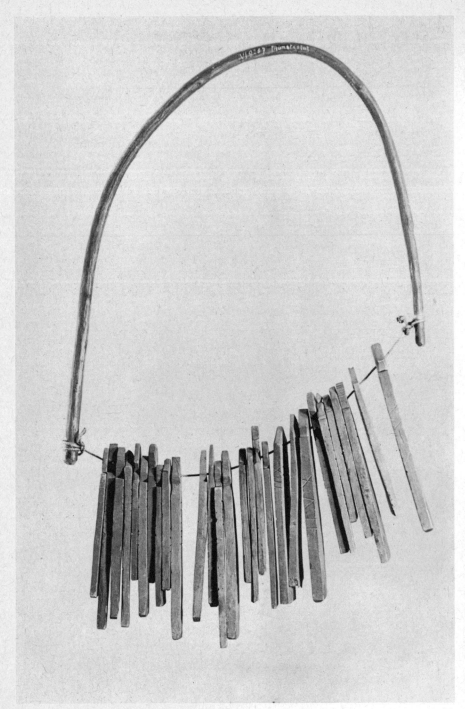

119

*Alptesseln, auf denen die Abrechnungen zwischen Alp-
benützer und Alpvogt eingekerbt wurden. Die Brote, die
der Bauer dem Alpvogt brachte, wurden in Pfunden auf
die Vorderseite geschnitten, Butter und Zieger, die er be-
zog, auf der Rückseite und auf der Schmalseite der Tessel,
die ausserdem sein Hauszeichen trug.*

*Alpine tally sticks on which accounts between the herds-
men using the alp and the president of the alp were notched. The loaves brought to the president by the farmer
were cut (in pounds) on the front, the butter and goats
he bought, on the back and on the narrow edge of the tally,
which also bore his house sign.*

120

*Doppelholz eines Bäckers (Touraine, Frankreich). Die
grösseren Teile dieser Hölzer trug der Bäcker an seinem
Gürtel. Jeder Kunde besass einen passenden, kleinen Ein-
satz. Beim Abliefern eines Brotlaibes wurden die Hölzer
ineinandergelegt und eine Kerbe quer über beide geschnitten. Ein sicherer und einfacher Abrechnungsmodus.*

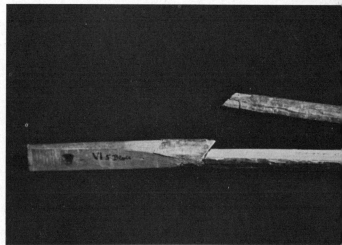

121

Alptafel aus Davos-Monstein (Graubünden, Schweiz). Auf der Tafel wurde unter dem Hauszeichen jedes Bauern der Viehbestand eingeschnitten, den er in diesem Jahre (Beispiel 1694) auf die Alp geschickt hatte.

Alpine panel from Davos-Monstein (Grisons, Switzerland). The number of cattle the farmer had sent to the alpine pasture in that year (1694 for example) was scored on the panel under his house sign.

120

Double tally of a baker (Touraine, France). The baker carried the larger parts of these tallies on his belt. Each customer had a smaller piece that fitted into the larger. When a loaf was delivered, the pieces of wood were fitted together, and a notch was scored over them both. A simple and safe way of keeping acounts.

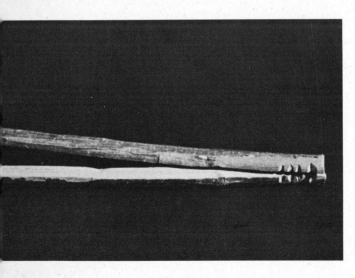

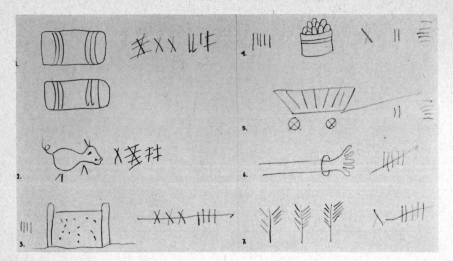

122

Buchhaltung von Analphabeten:
Schulden und Abtragung wurden von diesem Bauern auf-
gezeichnet, nicht geschrieben. Die Zahlen sind ein Gemisch
aus Bauernzahlen und römischen Ziffern. Die Zeichnungen
teils ganz persönlich, teils — wie etwa die Hand mit dem
Ring zeigt — damals gebräuchliche.

Accounts kept by illiterates
Debts and their liquidation were marked up rather than writ-
ten down by this farmer. The numbers are a medley of pea-
sant and roman numerals. The marks are sometimes quite per-
sonal and sometimes — as shown by the hand with the
ring — in common use at the time.

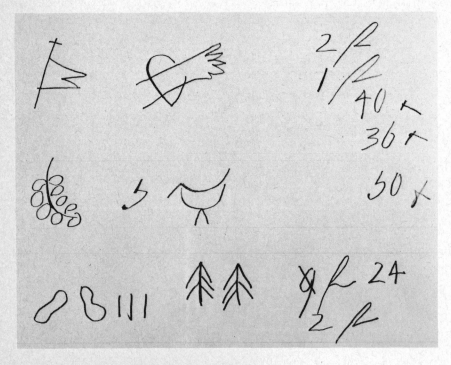

123

Die Aufzeichnungen von Abbildung 123 bedeuten: obere
Reihe: am Ostertag dem Gesinde bar auf die Hand gegeben
(von oben nach unten: 2 Florin, 1 Florin, 40 Kreuzer, 30
Kreuzer)
Mittlere Reihe: am St. Urbanstag (St. Urban ist der Trauben-
heilige) 5 Hühner verkauft für 50 Kreuzer.
Untere Reihe: Drei Tage nach Christi Himmelfahrt (die zu-
rückgelassenen Fussstapfen) 2 Tannen verkauft für 9 Florin
und 24 Kreuzer, davon 2 Florin erhalten.

The notes in Fig. 123 mean: top row: on Easter Day paid the
labourers in cash (from top to bottom: 3 florins, 1 florin, 40
kreuzers, 30 kreuzers)
Middle row: on St. Urban's Day (St. Urban is the patron saint
of grapes) 5 chickens sold for 50 kreuzers.
Bottom row: three days after Ascension (the footprints left
behind) 2 fir trees sold for 9 florins and 24 kreuzers, of which
2 florins have been received.

124

Fingerzahlen, das heisst die Darstellung der Zahlen von Eins bis zehntausend an den Fingern, von den Römern beim Kopfrechnen zum Festhalten der Zwischenergebnisse verwendet, waren im Mittelalter weit verbreitet. Beda, ein englischer Benediktinermönch, hat sie als erster aufgezeichnet. Die hier, zum Teil falsch abgebildeten Fingerzahlen sind der «Summa de Aritmetica» des Luca Pacioli entnommen (Venedig 1494)

Finger counting, i. e. the representation of numbers from one to ten thousand, was used by the Romans for remembering intermediate results when doing mental arithmetic. It was widely used in the Middle Ages. Beda, an English Benedictine monk, was the first to write it down. The finger numbers shown here, some incorrectly illustrated, are taken from "Summa de Aritmetica" by Luca Pacioli (Venice 1494)

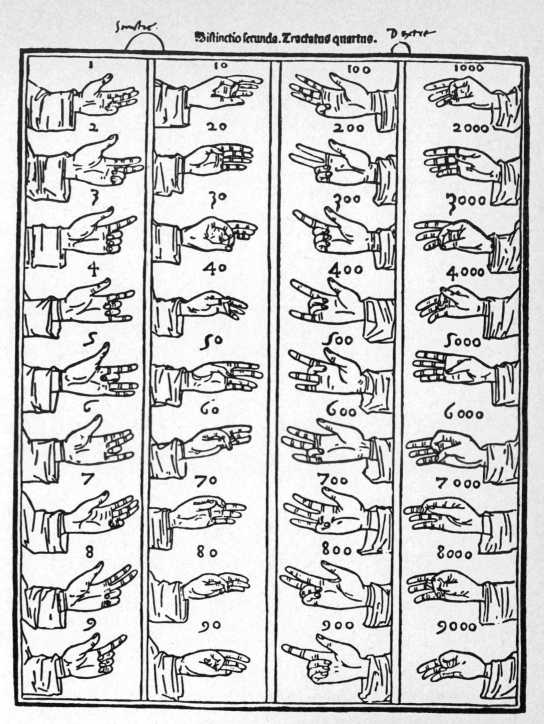

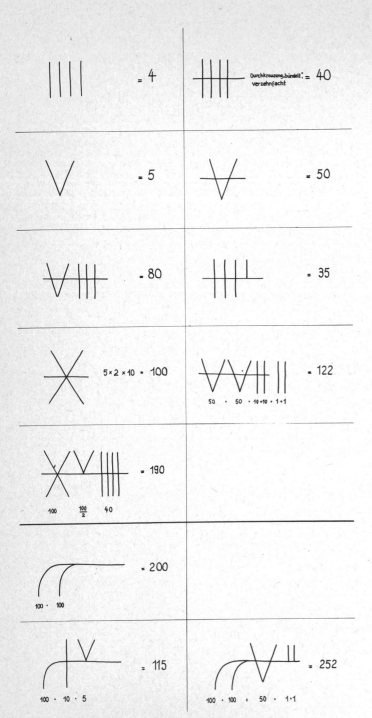

‖‖‖	= 4	‖‖‖ *Durchkreuzung „bündelt", verzehnfacht*	= 40
V	= 5	V	= 50
V‖‖‖	= 80	‖‖‖	= 35
✕	5 × 2 × 10 = 100	VV·‖‖·‖‖ 50 · 50 · 10+10 · 1·1	= 122
✕V‖‖‖‖ 100 $\frac{100}{2}$ 40	= 190		
100 · 100	= 200		
100 · 10 · 5	= 115	100 · 100 · 50 · 1·1	= 252

125

Bauernzahlen in verschiedener Schreibweise. Wichtig war ausser der Eindeutigkeit die einfache Form, die es erlaubte, mit Beil oder Taschenmesser zu ritzen oder zu kerben.

Different ways of writing peasant numerals. They had to be unambiguous and also simple in form so that they could be scored or notched with an axe or pocket-knife.

127

Alppritsche von St. Antönien (Graubünden, Schweiz). Eine Art Alp-chronik für ein bestimmtes Jahr, auf der die Jahreszahl, die Initialen des Alppersonals, sowie (untere Reihe und rechts) in Bauernzahlen die Anzahl der Kühe: 151, Ziegen und Schafe: 250 und der Galttiere (Jungvieh): 256, notiert wurden.

Alp plank from St. Antönien (Grisons, Switzerland). A kind of alp chronicle for a particular year showing the date of the year, the initials of the personnel, and also (bottom row and right) in peasant numerals the number of cows; 161, goats and sheep: 250 and young cattle: 256.

126

Holztafeln aus der Schweiz. Papier war lange ungebräuchlich, es wurde auf Holz gekerbt, geritzt oder mit Rötel und Kreide geschrieben

Wood panels from Switzerland. Paper was not in use for a long time. Wood was notched or scored or written on with ruddle and chalk.

Sandzeichnungen australischer Eingeborener. Diese Malereien aus Ockerfarben und Kaolinklumpen beziehen sich auf mythische Urzeiterzählungen und stellen in Zeichenform die Plätze dar, auf denen in der Urzeit bestimmte Handlungen geschahen, oder die Urzeitwesen selbst, die diese Handlungen zeremoniell ausführten. Die Anfertigung solcher Malereien geschieht im Rahmen entsprechender Zeremonien, in denen als Erinnerungshandlung auf diese totemistischen Vorfahren und ihre Taten Bezug genommen wird.

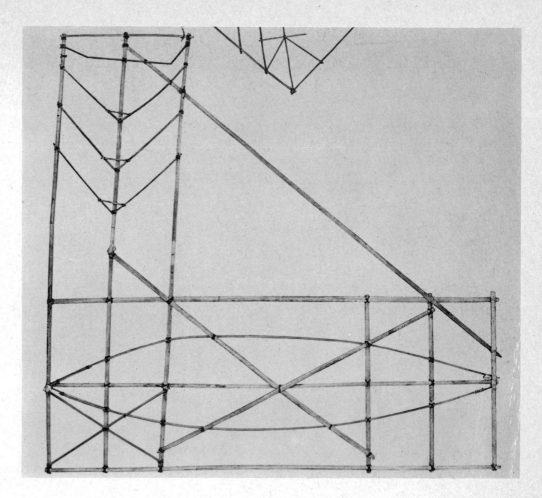

128
Sand drawings of Australian aborigines. These paintings done with ochre and lumps of kaolin refer to ancient myths and represent in sign form the sites where certain actions were performed in remote ages or even depict the ancient personages who ceremonially carried out these actions.
These paintings were executed in connection with ceremonies commemorating these totemic ancestors and their deeds.

129
Seekarte der Marshall-Insulaner: Orientiert den Segler durch Angabe der Richtung bedeutender Meeresströmungen mittels Rotanstäben. Die Kreuzungsstellen sind die Orte, wo Strömungen aufeinandertreffen. Inseln sind durch aufgebundene Schneckenschalen markiert. Die Marshall-Insulaner gaben ihre bedeutenden Erfahrungen im Segeln in eigentlichen Segelschulen weiter.

Marine chart of the Marshall Islanders: guides the sailor by showing the direction of important currents with bamboo sticks. The crossings are places where currents meet. Seashells are tied on to mark islands. The Marshall Islanders used to transmit their extensive knowledge of sailing in actual sailing schools.

Amades y Gelats, J.: Lenguaje del Caminante, Tradicion, Cuzco-Peru Ano III, Vol. V 1953

Ahrens, R.: Beitrag zur Entwicklung des Physiognomie- und Mimikerkennens, Zs. f. angew. Psychologie 2, 1953

Barthes, R.: (in Schiwy, G., Der französische Strukturalismus), Rowohlt 1970

Gmür, M.: Schweizerische Bauernmarken und Holzurkunden, Abhdlg. z. schweiz. Recht, Bern 1917

J. und W. Grimm: Deutsches Wörterbuch, Art. Kerbholz, Leipzig 1873

Gross, H.: Handbuch für Untersuchungsrichter als System der Kriminalistik, Leipzig 1914

Kiki, A. M.: Ich lebe seit 10 000 Jahren, Ullstein 1969

Lersch, Ph.: Gesicht und Seele, München 1955

Lévi-Strauss, Cl: Das wilde Denken, Suhrkamp 1968

Lévi-Strauss, Cl.: (in Schiwy, G., der französische Strukturalismus), Rowohlt 1970

Menninger, K.: Zahlwort und Ziffer, Vandenhoek u. Ruprecht, Göttigen 1958

Nordenskiöld, E.: Calculations with years and months in the Peruvian Quipus, Comp. Ethnogr. Studies 6, Göteborg 1925

Portmann, A.: Das Tier als soziales Wesen, 2. A. 1962

Reliques Emouvantes ou Curieuses de l'Histoire de France, Académie des Bibliophiles, Genève (o. J.)

v. Schulenburg, W.: Die Knotenzeichen der Müller, Zs. f. Ethnologie 29, 1897

Schweiz. Idiotikon, Artikel «Tässel», pp. 1752—1761, 1970

Valentiner, Th.: Die Seele im Namenszug, Bremen-Horn 1950

Weiss, R.: Volkskunde der Schweiz, Rentsch, Erlenbach-Zürich 1946

Wills, F. H.: Bildmarken Wortmarken, Wien 1968

Inhaltsverzeichnis

Table of contents